Scrittori italiani e stranieri

Carlos Ruiz Zafón

IL PALAZZO
DELLA MEZZANOTTE

Traduzione di Bruno Arpaia

MONDADORI

Dello stesso autore
nella collezione Scrittori italiani e stranieri

L'ombra del vento
Il gioco dell'angelo
Marina

ISBN 978-88-04-60010-7

Copyright © Carlos Ruiz Zafón 1994
© 2010 Arnoldo Mondadori Editore S.p.A., Milano
Titolo dell'opera originale
El Palacio de la Medianoche
I edizione aprile 2010

Il Palazzo della Mezzanotte

A MariCarmen

Nota dell'autore

Caro lettore,

Il Palazzo della Mezzanotte è il mio secondo romanzo e fu pubblicato per la prima volta in Spagna nel 1994.

Quanti hanno già letto i miei ultimi romanzi, *L'ombra del vento* e *Il gioco dell'angelo*, forse non sanno che i primi quattro che ho scritto furono originariamente pubblicati nella narrativa per ragazzi. Nonostante fossero destinati soprattutto a lettori giovani, la mia speranza era di coinvolgere persone di ogni età. Nello scrivere quelle pagine ho cercato di creare il genere di narrativa che avrei apprezzato da ragazzo, ma che avrebbe continuato a interessarmi a ventitré anni, o a quaranta, o a ottantatré.

Per lungo tempo i diritti di questi libri sono stati "intrappolati" in una disputa legale, ma adesso tali romanzi possono finalmente raggiungere i lettori di tutto il mondo. Sin dalla prima pubblicazione questi lavori hanno trovato benevola accoglienza da parte di giovani e meno giovani. Mi piace credere che il racconto trascenda qualsiasi limite di età e spero che coloro che hanno apprezzato i miei romanzi per adulti saranno tentati di esplorare queste storie di magia, mistero e avventura. Infine, per tutti i nuovi lettori, mi auguro che anche questi vi siano graditi, adesso che siete in procinto di iniziare la vostra personale avventura nell'universo dei libri.

Buon viaggio,

Carlos Ruiz Zafón
febbraio 2010

Non potrò mai dimenticare la notte in cui nevicò su Calcutta. Il calendario dell'orfanotrofio di St Patrick's sgranava gli ultimi giorni di maggio del 1932 e si lasciava alle spalle uno dei mesi più caldi che la storia della città dei palazzi ricordasse.

Giorno dopo giorno, aspettavamo con tristezza e timore l'arrivo di quell'estate nella quale avremmo compiuto sedici anni e che avrebbe significato la nostra separazione e lo scioglimento della Chowbar Society, il club segreto e riservato a sette membri esclusivi che era stato il nostro rifugio durante gli anni dell'orfanotrofio. Lì eravamo cresciuti senz'altra famiglia che noi stessi e senza altri ricordi che le storie che ci raccontavamo intorno al fuoco a notte fonda, nel cortile della vecchia casa abbandonata che sorgeva all'angolo tra Cotton Street e Brabourne Road, un casermone in rovina che avevamo ribattezzato il Palazzo della Mezzanotte. Non sapevo, allora, che quella sarebbe stata l'ultima volta che avrei visto il luogo nelle cui strade ero cresciuto e il cui fascino mi ha inseguito fino a oggi.

11

Non sono più tornato a Calcutta dopo quell'anno, ma sono sempre rimasto fedele alla promessa che tutti facemmo in silenzio, sotto la pioggia bianca sulle rive del fiume Hooghly: non dimenticare mai ciò a cui avevamo assistito. Gli anni mi hanno insegnato a custodire nella memoria quanto accadde in quei giorni e a conservare le lettere che ricevevo dalla città maledetta e che hanno tenuto viva la fiamma del mio ricordo. Ho saputo così che il nostro antico Palazzo era stato abbattuto per costruire sulle sue ceneri un condominio pieno di uffici e che Mr Thomas Carter, il direttore del St Patrick's, era morto dopo aver trascorso gli ultimi anni della sua vita nell'oscurità, in seguito all'incendio che gli aveva chiuso gli occhi per sempre.

Via via, ho avuto notizia della progressiva scomparsa degli scenari nei quali avevamo vissuto quei giorni. La furia di una città che divorava se stessa e il miraggio del tempo hanno finito per cancellare ogni traccia dei membri della Chowbar Society.

E così, senza possibilità di scegliere, ho dovuto imparare a vivere con il timore che questa storia andasse perduta per sempre per mancanza di un narratore.

L'ironia del destino ha voluto che fossi io, il meno indicato, il peggio dotato per questo compito, ad assumermi l'onere di raccontarla e di svelare il segreto che ormai molti anni fa ci aveva allo stesso tempo uniti e separati per sempre nella vecchia stazione ferroviaria di Jheeter's Gate. Avrei preferito che fosse toccato a qualcun altro riscattare questa storia dall'oblio, ma ancora una volta la vita mi ha dimostrato che il mio ruolo era quello del testimone, non del protagonista.

Per tutti questi anni ho conservato le rare lettere di Ben e Roshan, custodendo gelosamente i documenti che gettavano luce sul destino di ciascuno dei membri della nostra società segreta, rileggendoli spesso ad alta voce nella solitudine del mio studio. Forse perché in qualche modo intuivo che la fortuna mi aveva reso depositario della memoria di tutti noi. Forse perché comprendevo che, di quei sette ragazzi, io ero sempre stato il più riluttante al rischio, il meno brillante e intrepido e, pertanto, quello che aveva più possibilità di sopravvivere.

Con questo spirito, confidando che il ricordo non mi tradirà, cercherò di far rivivere i misteriosi e terribili avvenimenti che si verificarono in quei quattro torridi giorni del maggio 1932.

Non sarà un'impresa facile e faccio appello alla benevolenza dei miei lettori nei confronti della mia penna maldestra al momento di riscattare dal passato quell'estate di tenebre nella città di Calcutta. Ho messo tutto il mio impegno nel ricostruire la realtà e nel risalire ai torbidi episodi che avrebbero inesorabilmente tracciato la linea del nostro destino. Ormai non mi resta altro che sparire di scena e lasciar parlare i nudi fatti.

Non potrò mai dimenticare i volti di quei ragazzi spaventati la notte in cui nevicò su Calcutta. Ma, come il mio amico Ben mi ha insegnato a fare sempre, inizierò la storia dal principio...

Il ritorno dell'oscurità

Calcutta, maggio 1916

Poco dopo mezzanotte, un barcone emerse dalla nebbiolina notturna che saliva dalla superficie del fiume Hooghly come il fetore di una maledizione. A prua, sotto il tenue chiarore proiettato da una lucerna agonizzante appesa all'albero, si intravedeva la sagoma di un uomo avvolto in un mantello che remava faticosamente verso la riva lontana. Più in là, a ovest, il profilo di Fort William nel Maidan si ergeva sotto un manto di nubi cineree alla luce di un infinito sudario di lampioni e falò che si estendeva fin dove arrivava la vista. Calcutta.

L'uomo si fermò qualche secondo a riprendere fiato e a osservare il profilo della stazione di Jheeter's Gate, perduta per sempre nelle tenebre che ricoprivano l'altra sponda del fiume. A ogni metro che percorreva addentrandosi nella bruma, la stazione di vetro e acciaio si confondeva con altrettanti edifici ancorati fra splendori dimenticati. I suoi occhi vagarono per quella selva di mausolei di marmo annerito da decenni di abbandono e facciate nude alle quali la furia del monsone aveva strappato la pelle ocra, azzurra e dorata, diluendone i colori come acquerelli che svaniscono in uno stagno.

Soltanto la certezza che gli restavano appena poche ore di vita, forse pochi minuti, gli permise di continuare la marcia, abbandonando nelle viscere di quel luogo maledetto la donna che aveva giurato di proteggere a costo della vita. Quella notte, mentre il tenente Peake iniziava il suo ultimo viaggio verso Calcutta a bordo di un vecchio barcone, ogni secondo della sua esistenza svaniva sotto la pioggia arrivata al riparo dell'oscurità.

Mentre lottava per trascinare l'imbarcazione verso la riva, il tenente poteva sentire il pianto dei due bambini nascosti nella sentina. Volse lo sguardo indietro e si accorse che le luci di un altro barcone lampeggiavano appena un centinaio di metri alle sue spalle, guadagnando terreno. Riusciva a immaginare il sorriso del suo inseguitore, che assaporava il gusto della preda, inesorabile.

Ignorò le lacrime di freddo e di fame dei bambini e dedicò tutte le energie che gli restavano a dirigere la barca verso l'argine del fiume, che veniva a morire alle soglie di quell'insondabile e spettrale labirinto che erano le strade di Calcutta. Duecento anni erano bastati a trasformare la fitta giungla che cresceva intorno al Kalighat in una città dove neanche Dio avrebbe mai avuto il coraggio di entrare.

In pochi minuti il temporale si era rovesciato sulla

città con la collera di uno spirito devastatore. Dalla metà di aprile fino a giugno inoltrato, la città si consumava tra le grinfie della cosiddetta estate indiana. In quei giorni sopportava temperature di quaranta gradi e un livello di umidità al limite della saturazione. Qualche minuto dopo, sotto l'influsso di violente tempeste elettriche che trasformavano il cielo in una cortina di fuochi artificiali, i termometri potevano scendere di trenta gradi in pochi secondi.

Il manto torrenziale della pioggia velava la vista dei rachitici moli di legno fradicio che dondolavano sul fiume. Peake non desistette dal suo impegno fin quando non sentì l'impatto dello scafo contro le assi del molo di pescatori. Solo allora affondò la pertica nel fondale fangoso e andò dai bambini, che giacevano avvolti in una coperta. Quando li prese in braccio, il pianto dei piccoli impregnò la notte come la traccia di sangue che guida il predatore fino alla sua vittima. Peake se li strinse al petto e saltò a terra.

Attraverso la spessa cortina d'acqua che cadeva con furia riusciva a vedere l'altro barcone avvicinarsi lentamente alla riva come un battello funebre. Sentendo la sferzata del panico, Peake prese a correre verso le strade che costeggiavano a sud il Maidan e sparì tra le ombre di quella zona della città che i suoi privilegiati abitanti, in maggioranza europei e britannici, chiamavano la *città bianca*.

Aveva una sola speranza di riuscire a salvare la vita dei bambini, ma era ancora lontano dal cuore del settore nord di Calcutta, dove sorgeva la dimora di Aryami Bose. Adesso quell'anziana donna era l'unica a poterlo aiutare. Peake si fermò un istante e scrutò l'immensità tenebrosa del Maidan in cerca del bagliore lontano dei piccoli lampioni che disegnavano stelle palpitanti nel nord della città. Le strade buie e celate dal velo del temporale sarebbero state per lui il miglior nascondiglio. Il tenente afferrò forte i bambini e si allontanò di nuovo verso est, cercando riparo fra le ombre dei grandi palazzi signorili del centro della città.

Pochi istanti dopo, il barcone nero che gli aveva dato la caccia si fermò accanto al molo. Tre uomini saltarono a terra e ormeggiarono l'imbarcazione. Il portello della cabina si aprì lentamente e una sagoma scura avvolta in un mantello nero percorse la passerella che gli uomini avevano teso dal molo, senza badare alla pioggia. Una volta sulla terraferma, allungò la mano infilata in un guanto nero e, indicando il punto in cui Peake era sparito, abbozzò un sorriso che nessuno dei suoi uomini riuscì a scorgere sotto la tormenta.

La strada buia e sinuosa che attraversava il Maidan e costeggiava la fortezza si era trasformata in una fangaia sotto la pioggia sferzante. Peake ricordava vagamente di aver attraversato quella zona della città ai tempi delle sue battaglie nelle strade agli ordini del colonnello Llewelyn, alla luce del giorno e in sella a un cavallo, insieme a uno squadrone dell'esercito assetato di sangue. Ora il destino, ironicamente, lo portava a percorrere di nuovo lo spazio aperto fatto spianare da Lord Clive nel 1758 perché i cannoni di Fort William potessero sparare in tutte le direzioni. Ma stavolta era lui la preda.

Il tenente corse alla disperata verso gli alberi, mentre sentiva su di sé gli sguardi furtivi di silenziosi osservatori nascosti nell'ombra, abitanti notturni del Maidan.

Sapeva che nessuno gli avrebbe sbarrato la strada per assalirlo e cercare di strappargli il mantello o i bambini che piangevano tra le sue braccia. Gli invisibili abitanti di quel luogo erano in grado di annusare le tracce della morte che aveva alle calcagna e neanche un'anima avrebbe osato intralciare il cammino del suo inseguitore.

Peake superò i cancelli che separavano il Maidan da Chowringhee Road e si addentrò nell'arteria principale di Calcutta. Il maestoso viale si estendeva sull'antico tracciato del sentiero che, appena trecento anni prima, attraversava la giungla bengalese in direzione sud, verso il tempio di Kali, il Kalighat, che aveva dato origine al nome della città.

L'abituale moltitudine notturna che vagava nelle notti di Calcutta era tornata a casa per la pioggia e la città aveva l'aspetto di un grande bazar sudicio e abbandonato. Peake sapeva bene che la cortina d'acqua che annebbiava la vista e gli serviva da copertura nella notte fonda poteva svanire in fretta come era arrivata. Le tempeste che dall'oceano si spingevano fino al delta del Gange si allontanavano velocemente verso nord o verso ovest dopo aver scaricato il loro diluvio purificatore sulla regione del Bengala, lasciando una scia di brume e strade inondate da pozzanghere infette dove i bambini giocavano immersi fino alla vita e i carri restavano impantanati come navi alla deriva.

Il tenente corse verso l'estremità settentrionale di Chowringhee Road fino a sentire che i muscoli delle gambe gli cedevano e che era a stento in grado di continuare a reggere il peso dei bambini tra le braccia. Le luci del settore nord scintillavano vicine sotto il telone vellutato della pioggia. Peake era consapevole che non avrebbe potuto tenere quel ritmo ancora per molto e che la casa di Aryami Bose era lontana. Doveva fare una sosta.

Si fermò a riprendere fiato, nascosto sotto le scale di un vecchio magazzino di stoffe, i cui muri erano ricoperti di cartelli che ne annunciavano l'imminente demolizione per ordine delle autorità. Ricordava vagamente di averlo ispezionato anni prima, a seguito della denuncia di un ricco commerciante il quale affermava che al suo interno si nascondeva un'importante fumeria di oppio.

Adesso l'acqua torbida si infiltrava tra i gradini sgangherati e ricordava il sangue nero che sgorga da una ferita profonda. Il luogo appariva desolato e deserto. Il tenente sollevò i bambini all'altezza del viso e osservò i loro occhi storditi; non piangevano più, ma tremavano di freddo. La coperta in cui erano avvolti era zuppa. Peake prese quelle piccole mani tra le sue con la speranza di trasmettere loro un po' di calore, mentre sbirciava tra le fessure della scalinata le strade che emergevano dal Maidan. Non ricordava quanti assassini aveva reclutato il suo inseguitore, ma sapeva che nel suo revolver restavano solo due pallottole, due pallottole che doveva amministrare con tutta l'astuzia possibile; aveva sparato il resto delle munizioni nei tunnel della stazione. Avvolse di nuovo i bambini nella parte meno umida della coperta e li depose per qualche secondo su un lembo di terreno asciutto che si intravedeva sotto una cavità nella parete del magazzino.

Peake estrasse il revolver e affacciò lentamente la testa tra i gradini. A sud, Chowringhee Road, deserta, sembrava uno scenario spettrale in attesa dell'inizio della rappresentazione. Il tenente aguzzò la vista e riconobbe la scia di luci lontane sull'altra riva del fiume Hooghly. Un rumore di passi frettolosi sul selciato allagato dalla pioggia lo fece sobbalzare e si ritirò di nuovo nell'ombra.

Tre individui emersero dal buio del Maidan, un oscuro riflesso di Hyde Park scolpito in piena giungla tropicale. Le lame dei coltelli brillarono nella penombra come lingue d'argento incandescente. Peake si affrettò a riprendere in braccio i bambini e inspirò a fondo, cosciente del fatto che, se fosse fuggito in quel momento, quegli uomini gli sarebbero stati addosso in pochi secondi come una muta di cani affamati.

Rimase immobile contro la parete del magazzino e controllò i tre inseguitori, che si erano fermati un istante in cerca delle sue tracce. I sicari scambiarono alcune parole incomprensibili e uno di loro fece cenno agli altri di separarsi. Peake trasalì vedendo uno di loro, quello che aveva dato l'ordine, dirigersi direttamente verso la scala sotto la quale lui si nascon-

21

deva. Per un attimo pensò che l'odore della sua paura avrebbe guidato l'uomo fino al suo nascondiglio.

I suoi occhi percorsero disperatamente la superficie del muro sotto la scalinata in cerca di un'apertura attraverso cui fuggire. Si accovacciò vicino alla cavità dove pochi secondi prima aveva lasciato i bambini e tentò di forzare le tavole schiodate e indebolite dall'umidità. Il legno, ferito dal marciume, cedette senza difficoltà e Peake sentì un soffio di aria nauseabonda che proveniva dall'interno dello scantinato dell'edificio in rovina. Si girò e vide l'assassino, che si trovava appena a una ventina di metri dai piedi della scalinata e brandiva il coltello tra le mani.

Avvolse i bambini con il proprio mantello per proteggerli e strisciò all'interno del magazzino. Una fitta pochi centimetri sopra il ginocchio gli paralizzò di colpo la gamba destra. Peake si tastò con mano tremante e le dita sfiorarono il chiodo arrugginito conficcato dolorosamente nella sua carne. Soffocando il grido di agonia, afferrò il freddo metallo, tirò con forza e sentì la pelle lacerarsi al suo passaggio e il sangue tiepido sgorgargli tra le dita. Uno spasmo di nausea e di dolore gli offuscò la vista per alcuni secondi. Ansimando, prese di nuovo i bambini e si alzò a fatica. Davanti a lui si apriva una galleria spettrale con centinaia di scaffali a diversi ripiani, tutti vuoti, a formare uno strano reticolato che si perdeva nell'ombra. Senza esitare un istante, corse verso l'altra estremità del magazzino, la cui struttura ferita a morte scricchiolava sotto i colpi della tormenta.

Quando Peake riemerse all'aria aperta dopo aver percorso centinaia di metri nelle viscere di quell'edificio in rovina, scoprì di trovarsi a un centinaio di metri scarsi dal Tiretta Bazar, uno dei tanti centri commerciali della zona nord. Benedisse la sua fortuna e si inoltrò nel complicato dedalo di strade strette e sinuose che formavano il cuore di quell'affollatissima zona di Calcutta, incamminandosi verso la casa di Aryami Bose.

Ci mise dieci minuti a percorrere il tragitto che lo separava dal luogo in cui abitava l'ultima donna della famiglia Bose. Aryami viveva sola in un antico palazzo in stile bengalese che sorgeva oltre la fitta vegetazione selvatica cresciuta per anni nel cortile, senza alcun intervento della mano dell'uomo, che gli conferiva l'aspetto di un posto chiuso e abbandonato. Eppure, nessun abitante del settore nord di Calcutta, conosciuto anche come la *città nera,* avrebbe osato oltrepassare i confini di quel cortile e addentrarsi nei domini di Aryami Bose. Chi la conosceva l'apprezzava e la rispettava almeno quanto la temeva. Non c'era una sola anima nelle strade del nord di Calcutta che in qualche circostanza non avesse sentito parlare di lei e della sua stirpe. Tra la gente del luogo la sua presenza era paragonabile a quella di uno spirito: potente e invisibile.

Peake corse verso il cancello dall'inferriata nera che presidiava il sentiero conquistato dagli arbusti in cortile e affrettò il passo fino alla scalinata di marmo sbreccato che saliva alla casa. Sostenendo i due bambini con un braccio, bussò ripetutamente alla porta con il pugno, sperando che il frastuono della tormenta non soffocasse il rumore dei colpi.

Bussò per diversi minuti, con lo sguardo fisso sulle strade deserte alle sue spalle, nel crescente timore di vedere apparire i suoi inseguitori da un momento all'altro. Quando la porta si aprì, Peake si voltò e la luce di una lampada lo accecò mentre una voce che non sentiva da cinque anni pronunciava sottovoce il suo nome. Peake si protesse gli occhi con una mano e riconobbe il volto impenetrabile di Aryami Bose.

La donna lesse nel suo sguardo e fissò i bambini. Un'ombra di dolore le si allargò sul viso. Peake abbassò gli occhi.

«Lei è morta, Aryami» mormorò. «Era già morta quando sono arrivato...»

Aryami chiuse gli occhi e respirò a fondo. Il tenente notò che la conferma dei suoi peggiori sospetti si faceva strada nell'animo della donna come uno schizzo di acido.

«Entra» gli disse alla fine, cedendogli il passo e chiudendosi la porta alle spalle.

Peake si affrettò a mettere i bambini su un tavolo e a spogliarli dei vestiti bagnati. Aryami, in silenzio, prese dei panni asciutti e vi avvolse i piccoli mentre il tenente ravvivava il fuoco perché si scaldassero.

«Mi inseguono, Aryami» disse Peake. «Non posso restare.»

«Sei ferito» osservò la donna, indicando la ferita che gli aveva provocato il chiodo nel magazzino.

«È solo un graffio superficiale» mentì lui. «Non mi fa male.»

Aryami gli si avvicinò e allungò la mano per accarezzargli il volto sudato.

«Tu l'hai sempre amata...»

Peake deviò lo sguardo verso i piccoli e non rispose.

«Avrebbero potuto essere figli tuoi» disse Aryami. «Forse sarebbero stati più fortunati.»

«Devo andare» concluse il tenente. «Se resto qui, non si fermeranno fino a quando non mi avranno trovato.»

Si scambiarono uno sguardo sconfitto, coscienti del destino che attendeva Peake appena fosse tornato per strada. Aryami prese le mani del tenente fra le sue e le strinse forte.

«Non sono mai stata buona con te» gli disse. «Temevo per mia figlia, per la vita che avrebbe avuto accanto a un ufficiale britannico. Ma mi sbagliavo. Immagino che non potrai mai perdonarmelo.»

«Ormai non ha alcuna importanza» rispose Peake. «Devo andarmene. Subito.»

Si avvicinò un ultimo istante a guardare i bambini che riposavano al calore del fuoco. I piccoli lo osservarono con curiosità giocosa e occhi brillanti, sorridenti. Erano in salvo. Il tenente si diresse verso la porta e fece un sospiro profondo. Dopo quei pochi minuti di tregua, il peso della fatica e il dolore palpitante alla gamba gli piombarono implacabilmente addosso. Aveva dato fondo alle ultime forze per condurre i bambini fin lì e adesso dubitava della sua capacità di far fronte all'inevitabile. Fuori la pioggia continuava a sferzare la vegetazione e non c'erano tracce del suo inseguitore né dei suoi sgherri.

«Michael…» disse Aryami alle sue spalle.

Il giovane si fermò senza voltarsi.

«Lei lo sapeva» mentì Aryami. «Lo ha sempre saputo e sono certa che in qualche modo ti ricambiava. È stata solo colpa mia. Non portarle rancore.»

Peake annuì in silenzio e si chiuse la porta alle spalle. Restò qualche secondo sotto la pioggia e poi, con l'anima in pace, riprese il cammino verso i suoi inseguitori. Tornò sui suoi passi fino al punto in cui era uscito dal magazzino abbandonato e si addentrò di nuovo tra le ombre del vecchio edificio in cerca di un nascondiglio dove mettersi ad aspettare.

Mentre si acquattava nell'oscurità, lo sfinimento e il dolore che sentiva si fusero a poco a poco in un'inebriante sensazione di abbandono e di pace. Le sue labbra disegnarono un abbozzo di sorriso. Non aveva più un motivo, né una speranza, per continuare a vivere.

Le dita lunghe e affilate del guanto nero accarezzarono la punta insanguinata del chiodo che spuntava dall'asse spezzata, all'ingresso dello scantinato del magazzino. Lentamente, mentre i suoi uomini aspettavano in silenzio alle sue spalle, la snella figura che nascondeva il volto sotto il cappuccio nero si portò il polpastrello dell'indice alle labbra e leccò la goccia di sangue denso e scuro, assaporandola come se fosse una lacrima di miele. Dopo qualche secondo, si voltò verso gli uomini che aveva comprato poche ore prima per un pugno di monete e la promessa di un nuovo pagamento a lavoro terminato e indicò l'interno dell'edificio. I tre sgherri si affrettarono a introdursi attraverso il varco aperto da Peake pochi minuti prima. L'incappucciato sorrise nell'oscurità.

«Hai scelto uno strano posto per morire, tenente Peake» mormorò tra sé.

Nascosto dietro una pila di cassette vuote nelle viscere dello scantinato, Peake osservò le tre sagome entrare nell'edificio. Anche se da lì non riusciva a vederlo, ebbe la certezza che il loro padrone stesse aspettando dall'altra parte del muro. Intuiva la sua presenza. Peake estrasse il revolver e fece girare il tamburo fino a mettere in canna una delle due pallottole, attutendo il rumore dell'arma sotto la tunica fradicia che indossava. Ormai era pronto a intraprendere il cammino verso la morte, ma non aveva intenzione di percorrerlo da solo.

L'adrenalina che gli scorreva nelle vene aveva mitigato il dolore lancinante del ginocchio fino a trasformarlo in un battito sordo e distante. Sorpreso dalla propria serenità, Peake sorrise di nuovo e restò immobile nel suo nascondiglio. Osservò il lento avanzare dei tre uomini lungo i corridoi tra gli scaffali spogli, fino a quando i suoi carnefici si bloccarono a una decina di metri da lui. Uno di loro alzò la mano facendo segno di fermarsi e indicò delle tracce sul pavimento. Peake si sistemò il revolver all'altezza del petto, rivolto verso di loro, e fece fare il primo scatto al grilletto.

A un nuovo segnale, i tre uomini si separarono.

Due circondarono lentamente il tratto che portava alla pila di cassette, mentre il terzo avanzò in linea retta verso Peake. Il tenente contò mentalmente fino a cinque e, all'improvviso, spinse la pila di cassette sul suo aggressore, facendogliele cadere addosso. Corse verso l'apertura dalla quale erano entrati, ma uno dei sicari cercò di tagliargli la strada in uno slargo del corridoio, brandendo la lama del coltello a un palmo dal suo viso. Prima che quel criminale in affitto avesse il tempo di sorridere vittorioso, la canna del revolver di Peake gli si inchiodò sotto il mento.

«Molla il coltello» sbottò il tenente.

L'uomo vide i suoi occhi glaciali e fece quello che gli veniva ordinato. Peake lo afferrò brutalmente per i capelli e, senza ritirare l'arma, si girò verso i due complici facendosi scudo con il corpo del suo ostaggio. Gli altri due banditi gli si avvicinarono lentamente, minacciosi.

«Tenente, risparmiaci la scena e consegnaci quello che stiamo cercando» mormorò una voce familiare alle sue spalle. «Questi uomini sono onesti padri di famiglia.»

Peake girò lo sguardo verso l'incappucciato che sorrideva nella penombra a pochi metri da lui. Un giorno non molto lontano aveva imparato a considerare quel volto come quello di un amico. Adesso gli costava riconoscere in lui il suo assassino.

«Sto per far saltare la testa di quest'uomo, Jawahal» gemette Peake.

L'ostaggio chiuse gli occhi, tremante.

L'incappucciato incrociò le mani pazientemente ed emise un lieve sospiro di fastidio.

«Fallo pure, se ti fa piacere, tenente» replicò Jawahal. «Ma non ti aiuterà a uscire vivo da qui.»

«Sto parlando sul serio» replicò Peake, spingendo la punta della canna sotto il mento del bandito.

«Certo, tenente» disse Jawahal in tono conciliante. «Spara pure, se hai il coraggio di uccidere un uomo a sangue freddo e senza il permesso di Sua Maestà. In caso contrario, getta a terra la pistola e così potremo arrivare a un accordo soddisfacente per entrambi.»

I due assassini si erano fermati e se ne stavano immobili, pronti a saltargli addosso al primo cenno dell'incappucciato. Peake sorrise.

«Va bene» disse alla fine. «Che te ne pare di questo accordo?»

Peake spinse l'ostaggio a terra e si voltò verso l'incappucciato, sollevando la pistola. L'eco del primo colpo attraversò lo scantinato. La mano guantata dell'incappucciato emerse dalla nube di polvere da sparo con il palmo teso. Peake credette di vedere il proiettile ammaccato brillare nella penombra e fondersi lentamente in un filo di metallo liquido che scivolava tra le dita affusolate come un pugno di sabbia.

«Pessima mira, tenente» disse l'incappucciato. «Ci riprovi, ma stavolta da più vicino.»

Senza dargli il tempo di muovere un muscolo, l'incappucciato afferrò la mano armata di Peake e si puntò la pistola in faccia, in mezzo agli occhi.

«Non ti hanno insegnato a fare così all'accademia?» gli sussurrò.

«Un tempo eravamo amici» disse Peake.

Jawahal sorrise sprezzante.

«Quel tempo è passato, tenente.»

«Che Dio mi perdoni» gemette Peake premendo nuovamente il grilletto.

In un istante che gli sembrò eterno, vide la pallottola che perforava il cranio di Jawahal e gli strappava il cappuccio dalla testa. Per qualche secondo, la luce attraversò la ferita su quel volto congelato e sorridente. Poi, il foro fumante aperto dal proiettile si richiuse lentamente su se stesso e Peake sentì il revolver scivolargli fra le dita.

Gli occhi di fuoco del suo avversario si inchiodarono nei suoi e una lingua lunga e nera gli spuntò tra le labbra.

«Non l'hai ancora capito, vero, tenente? Dove sono i bambini?»

Non era una domanda. Era un ordine.

Peake, muto di terrore, scosse la testa.

«Come vuoi.»

Jawahal gli attanagliò la mano e Peake sentì le ossa delle dita esplodere sotto la carne. Lo spasmo di dolore lo fece crollare a terra in ginocchio, privo di respiro.

«Dove sono i bambini?» ripeté Jawahal.

Peake cercò di articolare qualche parola, ma il fuoco che saliva dal moncherino insanguinato che fino a pochi secondi prima era stato la sua mano gli aveva paralizzato la lingua.

«Vuoi dire qualcosa, tenente?» mormorò Jawahal accovacciandosi di fronte a lui.

Peake annuì.

«Bene, bene» sorrise il suo nemico. «Francamente, la tua sofferenza non mi diverte. Aiutami a metterle fine.»

«I bambini sono morti» gemette Peake.

Il tenente avvertì la smorfia di fastidio che si disegnava sul viso di Jawahal.

«No, no. Stavi andando benissimo, tenente. Non rovinare tutto.»

«Sono morti» ripeté Peake.

Jawahal si strinse nelle spalle e annuì lentamente.

«Va bene» concesse. «Non mi lasci altra scelta. Ma prima di andartene, permettimi di ricordarti che, quando la vita di Kylian era nelle tue mani, non sei stato capace di fare niente per salvarla. Uomini come te sono stati la causa della sua morte. Ma i loro giorni sono finiti. Tu sei l'ultimo. Il futuro è mio.»

Peake sollevò lo sguardo supplicante verso Jawahal e, lentamente, si accorse che le sue pupille si riducevano a una fessura strettissima su due sfere dorate. L'uomo sorrise e, con infinita delicatezza, iniziò a togliersi il guanto che gli copriva la mano destra.

«Purtroppo, tu non vivrai abbastanza da vederlo» aggiunse Jawahal. «Non credere nemmeno per un secondo che il tuo eroico atto sia servito a qualcosa. Sei uno stupido, tenente Peake. Mi hai sempre dato quest'impressione e al momento di morire non fai altro che confermarla. Spero che ci sia un inferno per gli stupidi, Peake, perché è proprio lì che sto per spedirti.»

Il tenente chiuse gli occhi e sentì il crepitio del fuoco a pochi centimetri dal viso. Poi, dopo un istante interminabile, avvertì delle dita ardenti stringergli intorno alla gola e soffocare il suo ultimo alito di vita. Intanto, in lontananza, sentiva il rumore di quel treno maledetto e le voci spettrali di centinaia di bambini che urlavano tra le fiamme. Poi, il buio.

Aryami Bose fece il giro della casa e spense a una a una le candele che illuminavano il suo santuario. Lasciò soltanto la timida luce del fuoco che proiettava aloni fugaci sulle pareti spoglie. I bambini ormai dormivano al calore delle braci e solo il ticchettio della pioggia sulle imposte chiuse e il crepitare del fuoco rompevano il silenzio sepolcrale che regnava in tutta la casa. Lacrime silenziose le scivolavano sul volto e le cadevano sulla tunica dorata mentre Aryami, con mano tremante, prendeva il ritratto di sua figlia Kylian dagli oggetti che custodiva gelosamente in un cofanetto di bronzo e avorio.

Un vecchio fotografo ambulante proveniente da Bombay aveva scattato quella foto poco tempo prima del matrimonio senza accettare in cambio nessun pagamento. L'immagine la mostrava esattamente come Aryami la ricordava, avvolta in quella strana luminosità che sembrava emanare da Kylian e che ammaliava quanti la conoscevano, allo stesso modo in cui aveva stregato l'occhio esperto del ritrattista, che le aveva dato il soprannome con il quale tutti la ricordavano: la principessa della luce.

Naturalmente, Kylian non era mai stata una vera principessa e non aveva avuto altro regno tranne le strade che l'avevano vista crescere. Il giorno in cui lasciò la casa dei Bose per andare a vivere con suo marito, gli abitanti del Machuabazaar la salutarono con le lacrime agli occhi mentre guardavano passare la carrozza bianca che si portava via per sempre la principessa della *città nera*. Era solo una ragazzina quando il destino se l'era presa e non era tornata mai più.

Aryami sedette accanto ai bambini davanti al fuoco e strinse al petto la vecchia fotografia. Il temporale ruggì di nuovo e lei recuperò la forza della sua ira per decidere cosa fare. L'inseguitore del tenente Peake non si sarebbe accontentato di liquidare lui. Il coraggio del giovane le aveva concesso qualche minuto prezioso che non poteva sprecare per nessuna ragione, nemmeno per piangere la memoria della figlia. L'esperienza le aveva insegnato che il futuro le avrebbe riservato più tempo di quanto fosse tollerabile per lamentarsi degli errori commessi in passato.

Rimise la fotografia nel cofanetto e prese la medaglia che aveva fatto forgiare per Kylian anni prima, un gioiello che non era mai riuscita a sfoggiare. Era fatta da due cerchi d'oro, un sole e una luna, che si incastravano formando un unico pezzo. Premette il centro della medaglia e le due parti si separarono. Aryami infilò ognuna delle due metà in una catena d'oro e le mise al collo dei bambini.

Mentre era intenta a questa operazione, la donna meditava in silenzio sulle decisioni che doveva prendere. C'era solo una strada che sembrava portare alla loro sopravvivenza: doveva separarli e allontanarli l'uno dall'altro, cancellarne il passato e nasconderne l'identità al mondo e a loro stessi, per quanto doloroso potesse risultare. Non era possibile tenerli uniti senza che prima o poi fossero scoperti. Era un rischio che non poteva correre a nessun costo. E doveva affrontare quel dilemma prima che facesse giorno.

Aryami prese i due bambini tra le braccia e li baciò teneramente sulla fronte. Le piccole mani accarezzarono il suo viso e le loro dita minuscole sfiorarono le lacrime che le coprivano le guance, mentre gli sguardi sorridenti di entrambi la scrutavano senza capire. Li strinse di nuovo tra le braccia e li rimise nella piccola culla che aveva improvvisato per loro.

Non appena li ebbe messi a riposare, accese una lanterna e prese carta e penna. Il futuro dei suoi nipoti adesso era nelle sue mani. Inspirò a fondo e cominciò a scrivere. Sentiva in lontananza la pioggia che ormai calava d'intensità e i rumori del temporale che si allontanavano verso nord, stendendo su Calcutta un infinito manto di stelle.

Thomas Carter aveva creduto che, una volta arrivato ai cinquanta, la città di Calcutta, che era stata la sua casa negli ultimi trentatré anni, non gli avrebbe più riservato sorprese.

All'alba di quel giorno di maggio del 1916, dopo uno dei temporali più furiosi che ricordava fuori dalla stagione dei monsoni, la sorpresa arrivò alle porte dell'orfanotrofio di St Patrick's sotto forma di una cesta con un bambino e una lettera sigillata con la ceralacca e indirizzata alla sua personale attenzione.

La sorpresa era doppia. In primo luogo, a Calcutta nessuno si prendeva il disturbo di abbandonare un bambino davanti alla porta di un orfanotrofio; in tutta la città c'erano vicoli, discariche e pozzi per farlo molto più comodamente. In secondo luogo, nessuno scriveva missive di presentazione come quella, firmate e senza alcun dubbio possibile rispetto all'autore.

Carter esaminò gli occhiali in controluce e alitò sulle lenti per facilitarne la pulizia con un fazzoletto di cotone grezzo e invecchiato che utilizzava per quell'operazione non meno di venticinque volte al giorno, trentacinque durante i mesi dell'estate indiana.

Il bambino riposava a pianoterra nella camera di Vendela, la capo infermiera, sotto la sua attenta vigilanza, dopo essere stato visitato dal dottor Woodward, strappato al sonno poco prima dell'alba, al quale, a parte il suo dovere ippocratico, non vennero date ulteriori spiegazioni.

Il bambino era sostanzialmente sano. Mostrava qualche segno di disidratazione, ma non pareva colpito da alcuna febbre dell'ampio catalogo che era solito stroncare la vita di migliaia di creature come quella e negare loro il diritto di raggiungere l'età in cui si impara a pronunciare il nome della madre. Tutto ciò che aveva con sé era la medaglia d'oro a forma di sole che Carter teneva tra le dita e quella lettera. Una lettera che, se si doveva considerarla vera, e gli costava trovare un'alternativa a quella possibilità, lo metteva in una situazione compromettente.

Carter conservò la medaglia sotto chiave nel primo cassetto della scrivania e prese di nuovo la missiva, rileggendola per la decima volta.

Stimato Mr Carter,

mi vedo costretta a sollecitare il suo aiuto nelle più penose circostanze, facendo appello all'amicizia che a quanto so l'ha unita al mio defunto marito per oltre dieci anni. In quel periodo mio marito non ha mai risparmiato elogi per la sua onestà e la straordinaria fiducia che lei gli aveva sempre ispirato. Per questo, oggi la prego di ascoltare la mia supplica, per quanto strana possa sembrarle, con la massima urgenza e, se possibile, nel più assoluto segreto.

Il bambino che mi vedo costretta ad affidarle ha perso i genitori per mano di un assassino che aveva giurato di ucciderli entrambi e di sterminare la loro discendenza. Non posso né ritengo opportuno rivelarle i motivi che lo hanno portato a commettere tale atto. Basterà dirle che il ritrovamento del bambino deve essere tenuto segreto e che per nessuna ragione lei dovrà farne parola con la polizia o con le autorità britanniche, dal momento che l'assassino ha contatti in entrambi gli organismi che non tarderebbero a condurlo fino a lui.

Per ovvi motivi, non posso essere io ad allevare il bambino senza esporlo allo stesso destino già sofferto dai suoi genitori. Perciò la prego di farsi carico di lui, di dargli un nome e di educarlo nei retti princìpi della sua istituzione per farne, un domani, una persona onorata e onesta come erano i suoi genitori.

Sono consapevole del fatto che il bambino non potrà mai

conoscere il proprio passato, ma è di vitale importanza che sia così. Non dispongo di molto tempo per fornirle altri dettagli e mi vedo nuovamente obbligata a ricordarle l'amicizia e la fiducia che lei riponeva in mio marito per giustificare questa richiesta.

La supplico, quando avrà terminato la lettura, di distruggere questa missiva, come pure qualsiasi altro segno che potrebbe rivelare il ritrovamento del bambino. Mi dispiace non poterle rivolgere questa richiesta di persona, ma la gravità della situazione me lo impedisce.

Confidando che saprà prendere la decisione adeguata, riceva la mia eterna gratitudine.

Aryami Bose

I colpi di qualcuno che bussava alla porta lo strapparono alla lettura. Carter si tolse gli occhiali, piegò accuratamente la lettera e la mise nel cassetto della scrivania, chiudendolo a chiave.

«Avanti» disse.

Vendela, la capo infermiera del St Patrick's, si affacciò nell'ufficio con il suo perenne aspetto severo e scrupoloso. Il suo sguardo non faceva presagire nulla di buono.

«Di sotto c'è un signore che desidera vederla» annunciò seccamente.

Carter aggrottò la fronte.

«Di che si tratta?»

«Non ha voluto darmi dettagli» rispose l'infermiera, ma la sua espressione sembrava insinuare con chiarezza come il suo istinto fiutasse che quei dettagli, se c'erano, erano vagamente sospetti.

Dopo una pausa, Vendela entrò nell'ufficio e si chiuse la porta alle spalle.

«Credo si tratti del bambino» mormorò l'infermiera con una certa inquietudine. «Io non gli ho detto niente.»

«Ha parlato con qualcun altro?» indagò Carter.

Vendela scosse la testa. Carter annuì e si infilò la chiave della scrivania nella tasca dei pantaloni.

«Posso dirgli che in questo momento lei non c'è» suggerì Vendela.

Carter esaminò per un attimo quella possibilità, ma decise che, se i sospetti di Vendela coglievano nel segno (e di solito era così), in quel modo non avrebbe fatto altro che rafforzare l'impressione che il St Patrick's avesse qualcosa da nascondere. La decisione fu presa all'istante.

«No. Lo riceverò, Vendela. Lo faccia passare e si assicuri che nessuno del personale parli con lui. Discrezione assoluta su questa storia. D'accordo?»

«Ricevuto.»

Carter sentì i passi di Vendela allontanarsi lungo il corridoio, mentre puliva di nuovo le lenti e constatava che la pioggia tornava a battere con impertinenza sui vetri della finestra.

L'uomo indossava un lungo mantello nero e aveva la testa avvolta in un turbante sul quale si notava un medaglione scuro che riproduceva la figura di un serpente. I suoi modi studiati facevano pensare a quelli di un prospero commerciante del nord di Calcutta e i suoi tratti parevano vagamente indù, anche se la pelle rifletteva un pallore malato, la pelle di qualcuno mai raggiunto dai raggi del sole. Il miscuglio di razze nato da Calcutta aveva fuso nelle sue strade bengalesi, armeni, ebrei, anglosassoni, cinesi, musulmani e innumerevoli gruppi arrivati nella terra di Kali in cerca di fortuna o di rifugio. Quel volto sarebbe potuto appartenere a una qualsiasi di quelle etnie o a nessuna.

Carter sentì i suoi occhi penetranti sulla schiena che lo esaminavano con cura mentre serviva le due tazze di tè sul vassoio portato da Vendela.

«Si sieda, prego» lo invitò Carter amabilmente. «Zucchero?»

«Come lo prende lei.»

La voce dello sconosciuto non rivelava accento né espressione alcuna. Carter deglutì, si stampò un sorriso cordiale sulle labbra e si voltò tendendo la tazza di tè all'ospite. Dita avvolte in un guanto nero, lunghe e affilate come artigli, si chiusero senza esitazione sulla porcellana ardente. Carter si accomodò sulla sua poltrona e mescolò lo zucchero nella tazza.

«Mi spiace doverla importunare a quest'ora, Mr Carter. Immagino che avrà molto da fare, e quindi sarò breve» affermò l'uomo.

Carter annuì cortesemente.

«Qual è allora il motivo della sua visita, signor...?» cominciò.

«Mi chiamo Jawahal, Mr Carter» spiegò lo sconosciuto. «Sarò molto franco con lei. Forse la mia domanda le sembrerà strana, ma avete per caso trovato un bambino, un neonato di pochi giorni, la scorsa notte o nella giornata di oggi?»

Carter aggrottò le sopracciglia e sfoggiò la sua miglior espressione di sorpresa. Né troppo ovvia né troppo sottile.

«Un bambino? Credo di non capire.»

Il volto dell'uomo che diceva di chiamarsi Jawahal si distese in un ampio sorriso.

«Guardi, non so da dove iniziare. La verità è che si tratta di una storia un po' imbarazzante. Confido nella sua discrezione, Mr Carter.»

«Ci conti, signor Jawahal» rispose il direttore bevendo un sorso dalla sua tazza di tè.

L'uomo, che non aveva ancora toccato la sua, si rilassò e si accinse a chiarire le sue richieste.

«Ho un'importante attività in campo tessile nel nord della città» spiegò. «Sono quello che potremmo chiamare un uomo agiato. Qualcuno mi definisce ricco e non ha tutti i torti. Ho molte famiglie a carico e mi onoro di cercare di aiutarle tutte, nei limiti delle mie possibilità.»

«Tutti noi facciamo quel che possiamo, vista la situazione» aggiunse Carter, senza distogliere lo sguardo da quei due occhi neri e insondabili.

«Certo» continuò lo sconosciuto. «Ma a condurmi qui, nella sua nobile istituzione, è una questione penosa alla quale vorrei trovare al più presto una soluzione. Una settimana fa, una ragazza che lavora in uno dei miei laboratori ha dato alla luce un bambino. Il padre della creatura è, a quel che si dice, un farabutto anglo-indiano che la frequentava e che, una

40

volta avuta notizia della gravidanza, ha fatto perdere le sue tracce. A quanto pare, i familiari della ragazza sono di Delhi, si tratta di musulmani, persone rigorose, che non erano al corrente della situazione.»

Carter annuì gravemente, mostrando la sua commiserazione per la storia riferita.

«Due giorni fa ho saputo da uno dei miei capireparto che la ragazza, in un momento di follia, è fuggita dalla casa dove viveva con alcuni familiari, sembra con l'idea di vendere il bambino» proseguì Jawahal. «Non la giudichi male, è una ragazza esemplare, ma la pressione che gravava su di lei ha finito per travolgerla. Non dovrebbe sorprenderla. Questo paese, come del resto il suo, Mr Carter, è poco tollerante verso le debolezze umane.»

«E lei crede che il bambino possa trovarsi qui, signor Jahawal?» domandò il direttore, cercando di riprendere il filo del discorso.

«Jawahal» lo corresse l'ospite. «Guardi, l'unica cosa certa è che, una volta venuto a conoscenza dei fatti, mi sono sentito in qualche modo coinvolto. Dopo tutto, la ragazza lavorava sotto la mia responsabilità. Io e un paio di uomini di fiducia abbiamo girato in lungo e in largo la città e abbiamo scoperto che aveva venduto il piccolo a uno spregevole criminale che commercia bambini per spedirli a chiedere l'elemosina. Una realtà deplorevole, ma purtroppo consueta al giorno d'oggi. Lo abbiamo rintracciato ma, per circostanze che ora non è il caso di specificare, all'ultimo momento è riuscito a sfuggirci. Questo è successo ieri notte, nelle immediate vicinanze dell'orfanotrofio. Ho motivo di pensare che, spaventato da quel che avrebbe potuto succedergli, questo individuo abbia abbandonato il bambino nel quartiere.»

«Capisco» sentenziò Carter. «E ha già messo al corrente della questione le autorità locali, signor Jawahal? Il traffico di bambini è punito molto severamente, come saprà.»

Lo sconosciuto unì le mani ed emise un sospiro.

«Speravo di poter risolvere il problema senza bisogno di arrivare a questo» disse. «Sinceramente, se lo facessi, coinvolgerei la ragazza e il bambino resterebbe senza padre né madre.»

Carter soppesò con attenzione la storia dello sconosciuto e annuì con lentezza, ripetutamente, in segno di comprensione. Non credeva a una sola virgola di tutto il racconto.

«Mi dispiace non poterle essere d'aiuto, signor Jawahal. Sfortunatamente, non abbiamo trovato nessun bambino né abbiamo avuto notizia che un fatto del genere sia accaduto in zona» spiegò Carter. «Comunque, se mi lascia i suoi dati, mi metterò in contatto con lei se mi capitasse di avere notizie, anche se temo che mi vedrei costretto a informare le autorità nel caso in cui un bambino fosse abbandonato in questo istituto. È la legge, e io non posso ignorarla.»

L'uomo osservò Carter in silenzio per qualche secondo, senza battere ciglio. Il direttore sostenne il suo sguardo senza alterare di una briciola il proprio sorriso, anche se sentiva lo stomaco che si chiudeva e il polso che accelerava come se si fosse trovato davanti a un serpente pronto a saltargli addosso. Alla fine lo sconosciuto sorrise cordiale e indicò la sagoma del Raj Bhawan, l'edificio del governo britannico, un palazzo di aspetto signorile, che si stagliava in lontananza sotto la pioggia.

«Voi britannici siete ammirevolmente rispettosi della legge e questo vi fa onore. Non è stato forse Lord Wellesley a trasferire la sede del governo nel 1799 in quella magnifica enclave per dare nuova forza alla vostra legge? O è stato nel 1800?» chiese Jawahal.

«Temo di non essere un buon conoscitore della storia locale» commentò Carter, sconcertato per la stravagante piega data da Jawahal alla conversazione.

Il visitatore aggrottò le sopracciglia in segno di cortese e pacifica disapprovazione di quella ammissione di ignoranza.

«Calcutta, con appena duecentocinquant'anni di vita, è una città così priva di storia che il minimo che possiamo fare per lei è conoscerla, Mr Carter. Ma tornando al nostro argomento, io direi che è stato nel 1799. E sa quale fu la ragione del trasferimento? Il governatore Wellesley disse che l'India doveva essere governata da un palazzo imponente e non da un edificio di contabili; con le idee di un principe e non con quelle di un commerciante di spezie. Una visione molto ampia, direi.»

«Senza dubbio» confermò Carter, alzandosi in piedi con l'intenzione di accomiatarsi da quello strano visitatore.

«E ancora più ampia, se possibile, in un impero nel quale la decadenza è un'arte e Calcutta ne è il più importante museo» aggiunse Jawahal.

Carter annuì vagamente senza sapere a che cosa.

«Mi dispiace averle fatto perdere il suo tempo, Mr Carter» concluse Jawahal.

«Al contrario» ribatté il direttore. «Mi spiace solo non essere stato di maggior aiuto. In casi del genere, tutti dobbiamo fare quanto è nelle nostre possibilità.»

«Proprio così» confermò Jawahal, alzandosi a sua volta. «La ringrazio di nuovo per la sua cortesia. Vorrei solo farle un'ultima domanda.»

«Le risponderò con grande piacere» replicò Carter, pregando dentro di sé che arrivasse il momento di potersi liberare della presenza di quell'individuo.

Jawahal sorrise maliziosamente, come se gli avesse letto nel pensiero.

«Fino a che età restano qui con voi i ragazzi che accogliete, Mr Carter?»

Il direttore non riuscì a dissimulare un'espressione di sorpresa per quella richiesta.

«Mi auguro di non essere stato troppo indiscreto» si affrettò a correggersi Jawahal. «Se così fosse, la prego di ignorare la mia domanda. Era semplice curiosità.»

«Assolutamente no. Non è un segreto. Gli ospiti del St Patrick's restano sotto il nostro tetto fino al giorno in cui compiono sedici anni. Passato quel limite, si conclude il periodo di tutela legale. Ormai sono adulti, o tali li considera la legge, e sono pronti per intraprendere la loro vita. Come può vedere, questa è un'istituzione privilegiata.»

Jawahal lo ascoltò con attenzione e parve meditare sull'argomento.

«Immagino che per lei debba essere doloroso vederli partire dopo essersi occupato di loro per tutti quegli anni» osservò Jawahal. «In qualche modo, lei è il padre di tutti quei ragazzi.»

«Questo fa parte del mio lavoro» mentì Carter.

«Certo. Però, mi perdoni l'ardire, come fate a sapere la vera età di un ragazzo che non ha genitori né famiglia? Questioni tecniche, immagino...»

«L'età di ciascuno dei nostri ospiti viene stabilita in base alla data del suo ingresso o secondo un calcolo approssimativo fatto dall'istituzione» spiegò Carter, a disagio di fronte alla prospettiva di discutere le procedure del St Patrick's con quello sconosciuto.

«Questo fa di lei un piccolo Dio, Mr Carter» commentò Jawahal.

«È un giudizio che non condivido» rispose seccamente il direttore.

Jawahal assaporò la contrarietà affiorata sul viso di Carter.

«Perdoni la mia audacia» ribatté. «In ogni caso, sono felice di averla conosciuta. È possibile che io torni a farle visita in futuro e decida di dare un contributo alla sua nobile istituzione. Magari tornerò tra sedici anni e così avrò il piacere di conoscere i ragazzi che oggi stesso entreranno a far parte della sua grande famiglia...»

«Sarà un piacere riceverla, se questo è ciò che desidera» disse Carter, accompagnando lo sconosciuto alla porta. «Sembra che abbia ripreso a piovere forte. Magari preferisce aspettare che smetta.»

L'uomo si voltò verso il direttore e le perle nere dei suoi occhi brillarono intensamente. Quello sguardo sembrava aver soppesato ogni suo gesto e ogni sua espressione fin dal momento in cui si era introdotto nell'ufficio, mettendo il naso anche nelle fessure e analizzando con pazienza le sue parole. Carter si pentì di avergli proposto di restare ancora al St Patrick's. In quel preciso istante desiderava poche cose al mondo con la stessa intensità con la quale sperava di perdere di vista quell'individuo. Poco gli importava che l'uragano stesse spazzando le strade della città.

«La pioggia cesserà presto, Mr Carter» rispose Jawahal. «Grazie lo stesso.»

Vendela, precisa come un orologio, stava aspettando in corridoio la fine del colloquio e scortò il visitatore all'uscita. Dalla finestra del suo ufficio, il direttore osservò la figura nera allontanarsi sotto la pioggia fino a vederla sparire tra i vicoli ai piedi della collina. Rimase lì con lo sguardo fisso sul Raj Bhawan, la sede del governo. Pochi minuti dopo, la pioggia, come Jawahal aveva predetto, cessò.

Thomas Carter si servì un'altra tazza di tè e si sedette sulla sua poltrona a contemplare la città. Era cresciuto in un posto simile a quello che ora dirigeva, nelle strade di Liverpool. Tra le mura di quella istituzione aveva imparato tre cose che lo avrebbero accompagnato per il resto della vita: dare il giusto valore alle cose materiali, amare i classici e, ultimo ma non in ordine di importanza, riconoscere un bugiardo a un miglio di distanza.

Sorseggiò il tè senza fretta e decise di cominciare a festeggiare il suo cinquantesimo compleanno, visto e considerato che Calcutta aveva ancora delle sorprese in serbo per lui. Si avvicinò alla cristalliera e tirò fuori la scatola di sigari che riservava per le occasioni memorabili. Prese un lungo fiammifero e accese un prezioso esemplare con tutta la flemma che il cerimoniale richiedeva.

Poi, approfittando della fiamma provvidenziale di quel fiammifero, prese dal cassetto della scrivania la lettera di Aryami Bose e le diede fuoco. Mentre la pergamena si riduceva in cenere su un piccolo vassoio con incise le iniziali del St Patrick's, Carter si godette il tabacco e, in onore di uno dei suoi idoli di gioventù, Benjamin Franklin, decise che il nuovo inquilino dell'orfanotrofio di St Patrick's si sarebbe chiamato Ben e che lui personalmente avrebbe profuso tutto il proprio impegno perché il ragazzo trovasse fra quelle quattro mura la famiglia che il destino gli aveva rubato.

Prima di proseguire nella narrazione e di entrare nei dettagli degli eventi davvero significativi di questa storia, che ebbero luogo sedici anni più tardi, devo soffermarmi brevemente a presentare alcuni dei suoi protagonisti. Basti dire che, mentre tutto ciò accadeva nelle strade di Calcutta, alcuni di noi non erano ancora nati e altri avevano soltanto pochi giorni di vita. Solo una circostanza ci accomunava e avrebbe finito per unirci sotto il tetto del St Patrick's: non avevamo mai avuto una famiglia né una casa.

Abbiamo imparato a sopravvivere facendo a meno delle due cose, o meglio, inventandoci la nostra famiglia e creando la nostra casa. Una famiglia e una casa scelte liberamente, dove non c'era spazio per il caso né per la menzogna. Nessuno di noi sette conosceva altro padre che Mr Thomas Carter e i suoi discorsi sulla saggezza nascosta nelle pagine di Dante e Virgilio, né altra madre che la città di Calcutta, con i misteri ospitati dalle sue strade sotto le stelle della regione del Bengala.

Il nostro club aveva un nome pittoresco, la cui vera origine era nota soltanto a Ben, il quale l'aveva battezza-

to così per un suo capriccio, anche se alcuni di noi avevano il sospetto che avesse preso in prestito la denominazione da un vecchio catalogo di spedizionieri di Bombay. Comunque fosse, la Chowbar Society fu costituita in un certo momento delle nostre vite, quando i giochi dell'orfanotrofio non ci offrivano più sfide tentatrici. Invece la nostra astuzia era abbastanza sviluppata da permetterci di sgattaiolare impunemente dall'edificio nel cuore della notte, evitando il coprifuoco della venerabile Vendela, diretti alla nostra sede sociale, la segretissima, chiacchieratissima e incantata casa abbandonata che occupò per decenni l'angolo tra Cotton Street e Brabourne Road, in piena città nera, appena a un paio di isolati dal fiume Hooghly.

A onor del vero, devo dire che quella villa, che noi chiamavamo con orgoglio il Palazzo della Mezzanotte (in considerazione dell'orario delle nostre riunioni plenarie), in realtà non fu mai incantata. La sua fama di luogo magico, tuttavia, non era estranea al nostro lavorio sotterraneo. Uno dei nostri membri fondatori, Siraj, asmatico professionista ed erudito esperto in storie di fantasmi, apparizioni e incantesimi della città di Calcutta, elaborò una leggenda convenientemente sinistra e verosimile su un presunto antico inquilino; il che aiutava a mantenere sgombro e libero da intrusi il nostro rifugio segreto.

La storia, in poche parole, verteva su un vecchio commerciante che appariva avvolto in un manto bianco e se ne andava in giro per la casa levitando sul pavimento, con gli occhi accesi come braci e lunghi canini da lupo che gli spuntavano fra le labbra, assetato di anime incaute e ficcanaso. Il particolare degli occhi e dei denti, naturalmente, era un apporto personale e inconfondibile di Ben e della

*sua passione irredenta per ordire trame la cui truculen-
za faceva sfigurare anche i classici di Mr Carter, compre-
si Sofocle e il cruento Omero.*

*Malgrado le risonanze giocose del suo nome, la Chow-
bar Society era un club selettivo e ristretto quanto quelli che popolavano gli edifici edoardiani del centro di Calcutta emulando i loro omonimi londinesi; avere saloni in
cui vegetare, brandy in mano, era un'esclusiva dei più im-
portanti patrizi sassoni. Il nostro scopo, invece, in mancanza di uno scenario altrettanto glorioso, era più nobile.*

*La Chowbar Society era nata con due missioni irrinun-
ciabili. La prima, garantire a ciascuno dei sette membri
l'aiuto, la protezione e l'appoggio incondizionato degli altri, in qualsiasi circostanza, pericolo o avversità. La seconda, condividere le conoscenze che ognuno di noi acquisiva
e metterle a disposizione degli altri, preparandoci per il
giorno in cui avremmo dovuto affrontare il mondo da soli.*

*Ogni membro aveva giurato sul proprio nome e sul pro-
prio onore (non disponevamo di parenti prossimi da coinvolgere nei giuramenti) di rispettare questi due propositi e di proteggere il segreto della società. In sette anni di
esistenza ininterrotta, non vennero mai accettati nuovi
membri. Non è vero: facemmo una sola eccezione, ma raccontarla ora vorrebbe dire anticipare gli eventi...*

*Non è mai esistito un club i cui membri fossero più uni-
ti e nel quale l'importanza del giuramento avesse tanto
peso. A differenza dei gentiluomini danarosi di Mayfair,
nessuno di noi aveva una casa o un'amante che lo aspettava all'uscita del Palazzo della Mezzanotte. E, al contrario delle vetuste corporazioni per ex alunni di Cam-
bridge, la Chowbar Society ammetteva anche le donne.*

Comincerò, allora, proprio dalla prima che sottoscrisse il giuramento come membro fondatore della Chowbar Society anche se, quando la cerimonia ebbe luogo, nessuno di noi (compresa la protagonista, che aveva nove anni) pensava a lei come a una donna. Si chiamava Isobel e, come lei stessa diceva, era nata per le luci della ribalta. Sognava di diventare la nuova Sarah Bernhardt, di sedurre il pubblico da Broadway a Shaftesbury e di far ritrovare disoccupate le dive della nascente industria del cinema a Hollywood e a Bombay. Collezionava ritagli di giornale e programmi di teatro, scriveva drammi («monologhi attivi», li definiva lei) e li rappresentava per tutti noi con notevole successo. I pezzi forti erano le sue eccellenti interpretazioni di donne fatali sull'orlo dell'abisso. Dietro i suoi modi stravaganti e melodrammatici, Isobel aveva, con la probabile eccezione di Ben, il miglior cervello del gruppo.

Le migliori gambe, invece, appartenevano a Roshan. Nessuno correva come Roshan, che era cresciuto nei vicoli di Calcutta sotto la protezione di ladri, mendicanti e l'intera fauna di quella giungla di povertà che erano i nascenti quartieri in espansione a sud della città. A otto anni, Thomas Carter lo portò al St Patrick's e, dopo diverse fughe e ritorni, Roshan decise di restare con noi. Tra i suoi molti talenti c'era quello di scassinatore. Non c'era in tutta la Terra un catenaccio che resistesse alle sue arti.

Ho già detto di Siraj, il nostro esperto in case infestate dai fantasmi. Siraj, malgrado l'asma, la conformazione gracile e la salute cagionevole, possedeva una memoria enciclopedica, specialmente per ciò che riguardava le storie tenebrose della città (e ce n'erano a centinaia).

Nei racconti di fantasmi che allietavano le nostre famose nottate, Siraj era il documentarista e Ben l'affabulatore. Dal fantasma a cavallo di Hastings House allo spettro del leader rivoluzionario della rivolta del 1857, passando per gli orripilanti avvenimenti del cosiddetto buco nero di Calcutta (dove erano morti più di cento uomini, asfissiati dopo essere stati fatti prigionieri durante l'assedio all'antico Fort William), non c'era racconto né episodio macabro della storia della città che sfuggisse al controllo, all'analisi e all'archivio di Siraj. È inutile dire che, per gli altri membri, la sua passione era motivo di giubilo e festeggiamenti. Per sua disgrazia, però, Siraj provava un'adorazione per Isobel che sfiorava la follia. Non passavano sei mesi senza che le sue proposte di matrimonio futuro (puntualmente declinate) fossero causa di tormente romantiche nel gruppo e riacutizzassero l'asma del povero innamorato respinto.

I sentimenti di Isobel erano esclusiva competenza di Michael, un ragazzo alto, magro e taciturno che si abbandonava a lunghe malinconie senza motivo apparente e che aveva il dubbio privilegio di aver conosciuto e di ricordare i genitori, morti in un'inondazione del delta del Gange, quando un barcone sovraffollato si era rovesciato. Michael parlava poco e sapeva ascoltare. C'era un solo modo per conoscere i suoi pensieri: osservare le decine di disegni che faceva durante il giorno. Ben era solito dire che, se ci fosse stato più di un Michael al mondo, lui avrebbe investito la sua fortuna (ancora da guadagnare) in azioni di aziende cartarie.

Il miglior amico di Michael era Seth, un ragazzo bengalese forte e dall'aspetto severo che sorrideva più o meno sei volte all'anno e per di più con qualche remora. Seth era uno studioso di tutto quello che gli arrivava a portata di mano, divoratore instancabile dei classici di Mr Carter e appassionato di astronomia. Quando non era con noi, dedicava tutti i suoi sforzi alla costruzione di uno strano telescopio con il quale Ben era solito dire che non sarebbe riuscito a vedersi neanche la punta dei piedi. Seth non apprezzò mai il senso dell'umorismo vagamente caustico di Ben.

Mi resta soltanto Ben e, pur avendolo lasciato per ultimo, mi risulta molto difficile parlare di lui. Ogni giorno c'era un Ben diverso. Il suo umore cambiava ogni mezz'ora e passava da lunghi silenzi con il volto triste a periodi di iperattività che finivano per sfiancarci. Un giorno voleva diventare scrittore; il giorno seguente inventore e matematico; un altro ancora navigatore o subacqueo; e i giorni restanti tutte queste cose insieme e qualche altra in più. Ben inventava teorie matematiche che neanche lui riusciva a ricordare e scriveva storie di avventure così assurde che finiva per distruggerle una settimana dopo averle scritte, vergognandosi di averle firmate. Mitragliava costantemente tutti noi che gli stavamo intorno con idee stravaganti e intricati giochi di parole che poi si rifiutava sempre di ripetere. Ben era come un baule senza fondo, pieno di sorprese e anche di misteri, di luci e di ombre. Era, e immagino che lo sia tuttora, anche se non ci vediamo da decenni, il mio migliore amico.

Quanto a me, c'è poco da raccontare. Chiamatemi semplicemente Ian. Ho avuto un solo sogno, un sogno modesto: studiare medicina e arrivare a esercitare la professione di medico. La sorte è stata generosa con me e me lo ha concesso. Come scrisse una volta Ben in una delle sue lettere, "io passavo di là e ho visto quello che succedeva".

Ricordo che, negli ultimi giorni di quel maggio del 1932, noi sette membri della Chowbar Society stavamo per compiere sedici anni. Era una data fatidica, temuta e allo stesso tempo attesa con ansia da tutti.

A sedici anni, in base a quello che recitava il suo statuto, il St Patrick's ci restituiva alla società civile perché crescessimo come uomini e donne e diventassimo adulti responsabili. Ma quella data aveva anche un altro significato, che tutti comprendevamo benissimo: significava lo scioglimento definitivo della Chowbar Society. A partire da quell'estate, le nostre strade si sarebbero divise e, malgrado le nostre promesse e le amabili bugie che ci eravamo venduti da soli, sapevamo che il vincolo che ci aveva uniti non avrebbe tardato a dissolversi come un castello di sabbia in riva al mare.

Sono tanti i ricordi che conservo di quegli anni al St Patrick's e ancora oggi mi sorprendo a sorridere per le trovate di Ben e per le fantastiche storie che abbiamo condiviso nel Palazzo della Mezzanotte. Ma forse, di tutte le immagini che si rifiutano di perdersi nella corrente del tempo, quella che ho sempre ricordato con maggiore intensità è la figura che tante volte ho creduto di vedere, di notte, nella camerata che condividevo con quasi tutti gli altri ragazzi del St Patrick's, uno stanzone lungo, buio, dagli alti soffitti a volta, che faceva pensare alla corsia di un ospedale. Immagino che, ancora una volta, l'insonnia di cui ho sofferto fino a due anni dopo il mio viaggio in Europa mi abbia reso spettatore di quanto succedeva intorno a me, mentre gli altri dormivano placidamente.

Fu lì, in quel luogo disadorno, che molte volte mi parve di vedere quella pallida luce attraversare la stanza. Senza sapere come reagire, cercavo di tirarmi su e di seguirne il riflesso fino in fondo alla camerata e in quel momento la osservavo di nuovo, allo stesso modo in cui avevo sognato di vederla in tante altre occasioni. La figura evanescente di una donna avvolta in un manto di luce spettrale si chinava lentamente sul letto dove Ben dormiva come un sasso. Io lottavo per tenere gli occhi aperti e credevo di vedere quella donna di luce accarezzare materna il mio amico. Ne contemplavo il viso ovale e trasparente avvolto in un alone brillante e vaporoso. La dama alzava gli occhi e mi guardava. Lungi dall'aver paura, mi perdevo nel pozzo di quello sguardo triste e ferito. La principessa della luce mi sorrideva e poi, dopo aver accarezzato di nuovo il volto di Ben, la sua figura svaniva nell'aria in una pioggia di lacrime d'argento.

Ho sempre serbato la fantasia che quella visione incarnasse l'ombra della madre che Ben non aveva mai conosciuto. In qualche angolo del mio cuore si nascondeva la speranza infantile che, se un giorno fossi riuscito ad arrendermi al sonno, un'apparizione come quella avrebbe vegliato anche su di me. Questo è l'unico segreto che non ho mai diviso con nessuno, neanche con Ben.

L'ultima notte della Chowbar Society

Calcutta, 25 maggio 1932

Per tutti gli anni in cui era stato a capo del St Patrick's, Thomas Carter aveva impartito lezioni di letteratura, storia e aritmetica con la maestria altera di chi non è esperto in nulla ma s'intende di tutto. L'unica materia nella quale non fu mai capace di preparare i suoi alunni fu quella degli addii. Anno dopo anno, sfilavano davanti a lui i volti speranzosi e atterriti di coloro che la legge avrebbe presto sottratto alla sua influenza e alla protezione dell'istituto che dirigeva. Vedendoli varcare la soglia del St Patrick's, Thomas Carter era solito paragonare quei giovani a libri in bianco, sulle cui pagine lui aveva l'incarico di scrivere i primi capitoli di una storia che non gli sarebbe mai stato consentito di terminare.

Dietro il suo aspetto aspro e severo, poco incline all'espressione delle emozioni e ai discorsi a effetto, nessuno temeva più di Thomas Carter la data fatidica in cui quei *libri* sarebbero fuggiti per sempre dalla

sua *scrivania*. Presto sarebbero passati in mani sconosciute, preda di penne poco scrupolose al momento
di scrivere epiloghi oscuri e lontani dai sogni e dalle
aspettative con cui i suoi pupilli si libravano in volo
solitario per le strade di Calcutta.

L'esperienza lo aveva costretto a rinunciare al desiderio di conoscere i passi compiuti dai suoi allievi
una volta che a lui non era più consentito guidarli.
Per Thomas Carter, l'addio era solitamente accompagnato dal sapore amaro della delusione quando
prima o poi verificava che la vita, dopo aver privato quei ragazzi del passato, sembrava avere rubato
loro anche il futuro.

Quella calda sera di maggio, mentre sentiva le loro
voci nella modesta festa organizzata nel cortile anteriore dell'edificio, Thomas Carter guardò dall'oscurità del suo ufficio le luci della città che brillavano
sotto la volta stellata e gli stormi di nuvole nere che
fuggivano verso l'orizzonte, macchie d'inchiostro in
un bicchiere d'acqua cristallina.

Ancora una volta aveva declinato l'invito a partecipare alla festa ed era rimasto in silenzio, sprofon-
dato nella sua poltrona, senza altra luce che i riflessi
multicolori dei lampioni fatti di candele e carta con i
quali Vendela e i ragazzi avevano decorato gli alberi del cortile e la facciata del St Patrick's, come una
nave addobbata per il varo. Non gli sarebbe mancato
il tempo per pronunciare le sue parole di commiato
nei giorni che restavano prima di eseguire l'ordine
ufficiale di restituire i ragazzi alla strada dalla quale li aveva salvati.

Secondo quella che negli ultimi tempi era diventata un'abitudine, Vendela non tardò a bussare alla sua porta. Per una volta entrò senza aspettare la risposta e si chiuse la porta alle spalle. Carter osservò il volto eccezionalmente sorridente della capo infermiera e sorrise nella penombra.

«Stiamo diventando vecchi, Vendela» disse il direttore dell'orfanotrofio.

«Lei sta diventando vecchio, Thomas» lo corresse Vendela. «Io sto maturando. Non ha intenzione di scendere? Ai ragazzi farebbe piacere vederla. Ho già chiarito che lei non è proprio quel che si dice l'anima di una festa... Ma se non mi hanno dato retta in tutti questi anni, non potevano cominciare proprio adesso.»

Carter accese la lampada della scrivania e con un gesto invitò la donna a sedersi.

«Da quanti anni lavoriamo insieme, Vendela?» domandò.

«Ventidue, Mr Carter» precisò lei. «Più di quanti io abbia sopportato il mio povero marito, che riposi in pace.»

Carter sorrise alla battuta.

«E come è riuscita a sopportarmi per tutto questo tempo?» volle sapere. «Non si faccia scrupoli. Oggi è un giorno di festa e mi sento particolarmente benevolo.»

Vendela si strinse nelle spalle e prese a giochicchiare con una stella filante scarlatta che le era rimasta impigliata nei capelli.

«Lo stipendio non è male e i ragazzi mi piacciono. Non ha alcuna intenzione di scendere, vero?»

Carter scosse lentamente la testa.

«Non voglio rovinare la festa ai ragazzi» spiegò. «E poi non sarei in grado di sopportare neanche per un minuto gli scherzi stravaganti di Ben.»

«Ben è molto calmo stasera» disse Vendela. «Triste, immagino. I ragazzi hanno già dato a Ian il suo biglietto.»

Il volto di Carter si illuminò. Era da mesi che i membri della Chowbar Society (la cui esistenza clandestina, contro ogni pronostico, gli era ben nota) stavano mettendo insieme il denaro per comprare un biglietto di nave per Southampton e intendevano offrirlo all'amico Ian come regalo d'addio. Per anni Ian aveva manifestato il desiderio di studiare medicina, e Carter, dietro suggerimento di Ben e Isobel, aveva scritto a diverse scuole inglesi raccomandando il ragazzo e sollecitando per lui una borsa di studio. La notizia dell'assegnazione della borsa era arrivata da un anno, ma il costo del viaggio fino a Londra superava ogni previsione.

Di fronte al problema, Roshan aveva suggerito di organizzare un furto negli uffici di una compagnia di navigazione a due isolati dall'orfanotrofio. Siraj aveva proposto di organizzare una lotteria. Carter aveva prelevato una somma dalla sua modesta fortuna personale e anche Vendela aveva fatto lo stesso. Ma non era sufficiente.

Perciò Ben aveva deciso di scrivere un dramma in tre atti intitolato *Gli spettri di Calcutta* (un fantasmagorico pastrocchio dove morivano anche i macchinisti teatrali) che, con Isobel come prima attrice nel ruolo di Lady Windmare, il resto del gruppo in ruoli secondari e una messa in scena sopra le righe a opera dello stesso Ben, fu rappresentato in diverse scuole cittadine con notevole successo di pubblico, ma non altrettanto di critica. In quel modo si raccolse la somma restante per finanziare il viaggio di Ian. Dopo il debutto Ben si abbandonò a un acceso panegirico sull'arte commerciale e l'infallibile istinto del pubblico nel riconoscere un capolavoro.

«Quando gli hanno dato il biglietto, gli sono venute le lacrime agli occhi» spiegò Vendela.

«Ian è un ragazzo formidabile, un po' insicuro ma formidabile. Farà buon uso di quel biglietto e della borsa di studio» affermò Carter con orgoglio.

«Ha chiesto di lei. Voleva ringraziarla per l'aiuto.»

«Non gli avrà mica detto che ho messo dei soldi di tasca mia?» chiese Carter, allarmato.

«L'ho fatto, ma Ben mi ha smentito dicendo che lei aveva sperperato tutto il bilancio di quest'anno per pagare i suoi debiti di gioco» precisò Vendela.

Lo schiamazzo della festa continuava a infiammare il cortile. Carter aggrottò la fronte.

«Quel ragazzo è diabolico. Se non fosse già sul punto di andarsene, lo caccerei io.»

«Lei lo adora, Thomas» rise Vendela alzandosi in piedi. «E lui lo sa.»

L'infermiera si diresse alla porta e si voltò indietro quando arrivò sulla soglia. Non si arrendeva così facilmente.

«Perché non scende?»

«Buonanotte, Vendela» tagliò corto Carter.

«Lei è proprio un vecchio noioso.»

«Non parliamo di età o mi vedrò costretto a dimenticare la mia condizione di gentiluomo...»

Vendela mormorò qualche parola incomprensibile sull'inutilità della sua insistenza e lasciò Carter da solo. Il direttore del St Patrick's spense di nuovo la lampada della scrivania e si avvicinò furtivamente alla finestra per scrutare dalle fessure della persiana lo scenario della festa, un giardino di bengala accesi e la luce ramata delle lanterne che illuminava volti familiari e sorridenti sotto la luna piena. Carter sospirò. Anche se nessuno di loro lo sapeva, tutti avevano un biglietto di andata per qualche posto, ma solo Ian conosceva la destinazione del suo viaggio.

«Venti minuti e sarà mezzanotte» annunciò Ben.

I suoi occhi brillavano mentre osservava i petardi di fuoco dorato che spargevano una pioggia di filamenti infuocati nell'aria.

«Spero che Siraj abbia delle buone storie per oggi» disse Isobel esaminando in controluce il fondo del bicchiere, come se si aspettasse di trovarci dentro qualcosa.

«Avrà le migliori» assicurò Roshan. «È la nostra ultima notte. La fine della Chowbar Society.»

«Mi domando cosa ne sarà del Palazzo» disse Seth.

Da anni nessuno di loro si riferiva alla villa abbandonata con un'altra denominazione.

«Indovina» suggerì Ben. «Un commissariato o una banca. Non è questo che costruiscono ogni volta che abbattono qualcosa in qualunque città del mondo?»

Siraj si era unito a loro e valutò le funeste previsioni di Ben.

«Magari apriranno un teatro» commentò il ragazzo malaticcio guardando il suo amore impossibile, Isobel.

Ben alzò gli occhi al cielo e scosse la testa. Quando si trattava di adulare Isobel, Siraj non conosceva i limiti della dignità.

«Forse non lo toccheranno» disse Ian, che era rimasto ad ascoltare in silenzio gli amici, dissimulando le occhiate furtive al disegno che Michael stava tracciando su un piccolo foglio.

«Di che si tratta, Canaletto?» lo incalzò Ben senza ombra di malizia nella voce.

Michael alzò per la prima volta gli occhi dal disegno e guardò gli amici che lo osservavano come se fosse appena caduto dal cielo. Sorrise timidamente ed esibì il foglio al suo pubblico.

«Siamo noi» spiegò il ritrattista ufficiale del club.

I sei membri restanti della Chowbar Society scrutarono il ritratto per cinque lunghissimi secondi immersi in un religioso silenzio. Il primo a distogliere lo sguardo dal disegno fu Ben. Michael riconobbe nel volto dell'amico l'impenetrabile espressione che assumeva quando lo assalivano i suoi strani attacchi di malinconia.

«E quello sarebbe il mio naso?» chiese Siraj. «Io non ho un naso così. Sembra un amo!»

«Non hai altro» precisò Ben, abbozzando un sorriso che ingannò gli altri, ma non Michael. «Non lamentarti; se ti avesse disegnato di profilo, si vedrebbe solo una linea retta.»

«Fammi vedere» disse Isobel impossessandosi del disegno per esaminarlo nei dettagli alla luce tremolante di una lanterna. «È così che ci vedi?»

Michael annuì.

«Ti sei disegnato mentre guardi da un'altra parte rispetto agli altri» osservò Ian.

«Michael guarda sempre quello che gli altri non vedono» disse Roshan.

«E cos'hai visto in noi che nessun altro è capace di osservare, Michael?» chiese Ben.

Ben si avvicinò a Isobel e analizzò il ritratto. I tratti della matita morbida di Michael li avevano piazzati insieme davanti a uno stagno nel quale si riflettevano i loro volti. Nel cielo c'era una grande luna piena e, sullo sfondo, un bosco che si perdeva in lontananza. Ben esaminò i volti riflessi e dilatati sulla superficie dello stagno e li paragonò a quelli delle persone in posa davanti alla piccola laguna. Neanche uno aveva la stessa espressione del proprio riflesso. La voce di Isobel accanto a lui lo strappò ai suoi pensieri.

«Posso tenerlo, Michael?».

«Perché proprio tu?» protestò Seth.

Ben posò la mano sulla spalla del robusto ragazzo bengalese e gli rivolse uno sguardo breve e intenso.

«Lascia che lo tenga lei» mormorò.

Seth annuì e Ben gli diede un'affettuosa pacca sulla spalla, mentre osservava con la coda dell'occhio un'anziana signora, elegantemente vestita e accompagnata da una ragazza più o meno della loro stessa età, che attraversava la soglia del cortile del St Patrick's diretta all'edificio principale.

«Qualche problema?» chiese Ian sottovoce.

Ben scosse lentamente la testa.

«Abbiamo visite» notò senza staccare gli occhi dalla donna e dalla ragazza. «O qualcosa del genere.»

Quando Bankim bussò alla porta, Thomas Carter si era già accorto dell'arrivo di quella donna e della sua accompagnatrice attraverso la finestra dalla quale osservava la festa in cortile. Accese la lampada della scrivania e ordinò al suo assistente di entrare.

Bankim era un giovane dai tratti marcatamente bengalesi e dagli occhi vivi e penetranti. Cresciuto nel St Patrick's, era tornato nell'orfanotrofio come insegnante di matematica e fisica dopo molti anni in diverse scuole della provincia. Il felice esito delle vicende di Bankim era una delle eccezioni con cui Carter si tirava su di morale di anno in anno. Vederlo lì, da adulto, formare altri giovani seduti nelle stesse aule che avevano ospitato lui anni prima, era la miglior ricompensa immaginabile ai suoi sforzi.

«Mi spiace doverla disturbare, Thomas» disse Bankim. «Ma c'è una signora di sotto che dice di avere bisogno di parlarle. Ho detto che lei non c'era e che oggi stavamo celebrando una festa, ma non ha voluto darmi ascolto e ha insistito energicamente, per non dire altro.»

Carter guardò stupito il suo assistente e consultò l'orologio.

«È quasi mezzanotte» disse. «Chi è quella donna?»

Bankim si strinse nelle spalle.

«Non so chi sia, ma so che non se ne andrà fino a quando lei non l'avrà ricevuta.»

«Non ha detto cosa vuole?»

«Solo di consegnarle questa» rispose Bankim tendendo a Carter una piccola catena luccicante. «Ha detto che lei sa di cosa si tratta.»

Carter prese la catenina e la esaminò alla luce della lampada della scrivania. C'era infilata una medaglia, un cerchio che rappresentava una luna d'oro. L'immagine tardò qualche secondo ad accendersi nella sua memoria. Carter strinse le palpebre e sentì un nodo formarsi a poco a poco alla bocca dello stomaco. Possedeva una medaglia molto simile a quella, nascosta nel cofanetto che teneva sotto chiave nella cristalliera del suo ufficio. Una medaglia che non vedeva da sedici anni.

«C'è qualcosa che non va, Thomas?» chiese Bankim, visibilmente preoccupato per il cambio di espressione che aveva notato in Carter.

Il direttore dell'orfanotrofio sorrise debolmente e scosse la testa, riponendo la catenina nel taschino della camicia.

«Niente» rispose in modo laconico. «La faccia salire. La riceverò.»

Bankim lo guardò stupito e per un istante Carter pensò che il suo vecchio allievo avrebbe formulato la domanda che non voleva ascoltare. Ma alla fine Bankim annuì e uscì dall'ufficio chiudendo con delicatezza la porta. Due minuti dopo Aryami Bose entrava nel santuario privato di Thomas Carter e scostava il velo che le copriva il volto.

Ben osservò attentamente la ragazza che attendeva paziente sotto l'arcata dell'ingresso principale del St Patrick's. Bankim era ricomparso e, dopo aver fatto segno all'anziana signora di seguirlo, questa, con gesti inequivocabilmente autoritari, aveva dato istruzioni alla ragazza di attenderla accanto alla porta come una statua. Era ovvio che l'anziana era venuta a far visita a Carter, e Ben, tenendo conto della scarsa propensione per la vita sociale del direttore dell'orfanotrofio, azzardò l'ipotesi che le visite a mezzanotte di bellezze misteriose, qualunque fosse la loro età, entrassero a pieno titolo nel novero degli imprevisti. Sorrise e si concentrò di nuovo sulla ragazza. Era alta e snella, indossava vestiti semplici anche se poco comuni, abiti che parevano cuciti da qualcuno con uno stile personale e inconfondibile, di sicuro non acquistati in un qualsiasi bazar della *città nera*. Il suo volto, che Ben dal punto in cui si trovava non riusciva a vedere chiaramente, sembrava cesellato con tratti delicati, e la pelle era pallida e brillante.

«C'è qualcuno lì?» gli sussurrò Ian all'orecchio.

Ben indicò la ragazza con la testa, senza battere ciglio.

«È quasi mezzanotte» aggiunse Ian. «Tra pochi minuti ci riuniremo nel Palazzo. Sessione di chiusura, ti ricordo.»

Ben annuì, assente.

«Aspetta un secondo» disse, e si avviò a passi decisi verso la ragazza.

«Ben» chiamò Ian alle sue spalle. «Non adesso...»

Ma lui ignorò il richiamo dell'amico. La curiosità di svelare quell'enigma era più forte delle formalità protocollari della Chowbar Society. Adottò il suo sorriso beato da allievo modello e andò dritto verso la ragazza. Lei lo vide arrivare e abbassò lo sguardo.

«Salve. Sono l'assistente di Mr Carter, il rettore del St Patrick's» disse Ben in tono gioviale. «Posso fare qualcosa per te?»

«In realtà, no. Il tuo... collega ha già accompagnato mia nonna dal direttore» disse la ragazza.

«Tua nonna?» domandò Ben. «Capisco. Spero non si tratti di nulla di grave. Voglio dire, è mezzanotte e mi chiedevo se ci fosse qualche problema.»

La ragazza sorrise debolmente e fece segno di no. Ben ricambiò il sorriso. Non era una preda facile.

«Io mi chiamo Ben» disse in tono amabile.

«Sheere» rispose lei guardando la porta, come se si aspettasse di veder spuntare sua nonna da un momento all'altro.

Ben si fregò le mani.

«Bene, Sheere» disse. «Mentre il mio collega Bankim accompagna tua nonna nell'ufficio di Mr Carter, potrei offrirti la nostra ospitalità. Il capo insiste sempre sul fatto che dobbiamo essere gentili con i visitatori.»

«Non sei un po' troppo giovane per essere l'assistente del rettore?» indagò Sheere, evitando gli occhi del ragazzo.

«Giovane?» ripeté Ben. «Il complimento mi lusinga, ma mi dispiace dirti che compirò molto presto ventitré anni.»

«Non l'avrei mai detto» ribatté Sheere.

«È una cosa di famiglia» spiegò lui. «Abbiamo tutti una pelle molto resistente all'invecchiamento. Per esempio, mia madre: quando gira con me per strada, la scambiano per mia sorella.»

«Davvero?» domandò Sheere trattenendo una risatina nervosa; non aveva creduto neanche a una parola di quella storia.

«E allora, a proposito dell'ospitalità del St Patrick's?» insisté Ben. «Oggi c'è una festa di addio per alcuni dei ragazzi che stanno per lasciarci. È triste, ma c'è tutta una vita che si apre davanti a loro. È anche emozionante.»

Sheere inchiodò i suoi occhi di perla su Ben e le sue labbra disegnarono lentamente un sorriso di incredulità.

«Mia nonna mi ha chiesto di aspettarla qui.»

Il ragazzo indicò la porta.

«Qui?» chiese. «Proprio qui?»

Sheere annuì senza capire.

«Vedi» cominciò Ben gesticolando, «mi spiace dirtelo, ma pensavo che non sarebbe stato necessario parlarne. Queste cose non fanno bene all'immagine della nostra istituzione, ma non mi lasci altra scelta: c'è il rischio che crolli. La facciata.»

Lei lo guardò attonita.

«Crolli?»

Ben annuì con aria grave.

«In effetti» confermò con espressione costernata. «Una cosa deplorevole. Qui, proprio nel punto dove ti trovi, non più di un mese fa Mrs Pott, la nostra vecchia cuoca, che Dio la conservi per molti anni, è stata colpita da un calcinaccio caduto dal secondo piano.»

Sheere rise.

«Non mi pare che quello sfortunato incidente possa essere motivo di ilarità, se mi permetti l'osservazione» disse Ben con serietà glaciale.

«Non credo nemmeno a una parola di quello che mi hai detto. Non sei l'assistente del rettore, non hai ventitré anni e tanto meno la cuoca è finita sotto una pioggia di calcinacci un mese fa» lo sfidò Sheere. «Sei un bugiardo e non hai detto una sola parola vera da quando hai cominciato a parlare.»

Ben valutò attentamente la situazione. La prima parte del suo stratagemma, come era prevedibile, faceva acqua, e si imponeva una correzione prudente ma astuta al suo discorso.

«Va bene, ammetto di essermi lasciato un po' trasportare dall'immaginazione, ma non tutto quello che ho detto era falso.»

«Ah, no?»

«Sul mio nome, per esempio, non ti ho mentito. Mi chiamo Ben. E anche l'offerta di ospitalità è sincera.»

Sheere fece un ampio sorriso.

«Mi piacerebbe accettarla, Ben. Ma devo aspettare qui. Davvero.»

Ben si fregò le mani e adottò un'aria di flemmatica rassegnazione.

«Va bene. Aspetterò con te» annunciò solennemente. «Se deve cadere qualche calcinaccio, che cada addosso a me.»

Sheere si strinse nelle spalle con indifferenza e annuì, rivolgendo di nuovo lo sguardo alla porta. Un lungo minuto di silenzio trascorse senza che nessuno dei due si muovesse né aprisse bocca.

«Fa caldo stasera» commentò Ben.

Sheere si voltò e gli lanciò un'occhiata vagamente ostile.

«Hai intenzione di restare lì tutta la notte?» chiese.

«Facciamo un patto. Vieni a prendere un bicchiere di deliziosa limonata ghiacciata con me e i miei amici e poi ti lascerò in pace» propose Ben.

«Non posso, Ben. Davvero.»

«Saremo appena a venti metri da qui» aggiunse lui. «Possiamo mettere un sonaglio alla porta.»

«È così importante per te?» domandò Sheere.

Ben annuì.

«È la mia ultima settimana in questo posto. Ho passato qui tutta la vita e tra cinque giorni sarò di nuovo solo. Veramente solo. Non so se potrò passare un'altra notte come questa, tra amici. Tu non puoi capire cosa significhi.»

Sheere lo osservò per un lunghissimo istante.

«Sì che lo capisco» disse alla fine. «Vada per la limonata.»

Quando Bankim, non senza una certa esitazione, li lasciò soli nell'ufficio, Carter si servì una piccola coppa di brandy e ne offrì una alla sua ospite. Aryami declinò l'offerta e attese che lui prendesse posto sulla sua poltrona, di spalle alla vetrata sotto la quale i ragazzi celebravano la loro festa, estranei al silenzio glaciale che aleggiava in quella stanza. Carter s'inumidì le labbra con il liquore e rivolse uno sguardo inquisitorio all'anziana donna. Il tempo non aveva intaccato di una virgola l'autorità dei suoi tratti e nei suoi occhi si avvertiva ancora il fuoco interiore che ricordava in colei che era stata la moglie del suo migliore amico, in un'epoca che adesso si rivelava troppo lontana. Si guardarono a lungo, in silenzio.

«L'ascolto» disse alla fine il direttore.

«Sedici anni fa mi sono vista costretta ad affidarle la vita di un ragazzo, Mr Carter» cominciò Aryami a voce bassa, ma ferma. «È stata una delle decisioni più difficili della mia vita e so che in questi anni non ha tradito la fiducia che avevo riposto in lei. In questo periodo non ho mai voluto interferire nella vita del ragazzo, ben sapendo che per lui non c'era luogo migliore di questo, sotto la sua protezione. Non ho mai avuto modo di ringraziarla per quello che ha fatto per lui.»

«Ho fatto solo il mio dovere» ribatté Carter. «Ma non credo sia questo il motivo per cui è venuta a parlarmi oggi, a quest'ora di notte.»

«Mi piacerebbe poterle dire che è così, ma non è vero» disse Aryami. «Sono venuta perché la vita del ragazzo è in pericolo.»

«Ben.»

«Questo è il nome che lei gli ha dato. Tutto quello che sa e che è lo deve a lei, Mr Carter» disse Aryami. «Ma c'è qualcosa da cui né io né lei possiamo più proteggerlo a lungo: il passato.»

Le lancette dell'orologio di Thomas Carter si unirono sulla verticale della mezzanotte. Finì il brandy che si era versato e dalla finestra lanciò un'occhiata in cortile. Ben stava parlando con una ragazza che lui non conosceva.

«Come le ho già detto, l'ascolto» ribadì.

Aryami si raddrizzò sulla sedia e, intrecciando le dita, iniziò il suo racconto...

«Per sedici anni ho attraversato in lungo e in largo questo paese alla ricerca di rifugi temporanei e di nascondigli. Due settimane fa mi sono fermata per nemmeno un mese in casa di alcuni familiari per rimettermi da una malattia e ho ricevuto una lettera nella mia residenza provvisoria di Delhi. Nessuno sapeva né poteva sapere che io e mia nipote eravamo lì. Quando l'ho aperta ho visto che conteneva un foglio bianco, senza una parola. Ho pensato a un errore, o magari a uno scherzo, finché non ho osservato la busta. Aveva il timbro dell'ufficio postale di Calcutta. L'inchiostro era sbiadito ed era difficile capire parte di quello che c'era scritto, ma sono riuscita a decifrare la data. Il 25 maggio 1916.

«Ho conservato la lettera che, come tutto sembrava indicare, aveva impiegato sedici anni ad attraversare l'India per arrivare alla porta di quella casa, in un luogo al quale soltanto io ho accesso, e non l'ho più esaminata fino a quella stessa sera. La mia vista stanca non mi aveva giocato un brutto tiro: la data era proprio quella che avevo creduto di intravedere sul timbro sbiadito, ma qualcosa era cambiato. Sul foglio che poche ore prima era bianco adesso compariva una frase scritta con inchiostro rosso e fresco, tanto che i caratteri si spargevano sulla carta porosa al solo contatto delle dita. "Ora non sono più bambini, vecchia. Sono tornato a prendere ciò che è mio. Togliti dalla mia strada." Erano queste le parole che ho letto in quella lettera prima di gettarla nel fuoco.

«In quell'istante ho capito chi l'aveva spedita e ho capito pure che era arrivato il momento di dissotterrare vecchi ricordi che negli ultimi anni avevo imparato a ignorare. Non so se le ho mai parlato di mia figlia Kylian, Mr Carter. Ormai sono solo una vecchia che aspetta la fine dei suoi giorni, ma un tempo anch'io sono stata madre, la madre di una delle più meravigliose creature che abbiano calcato le strade di questa città.

«Ricordo quei giorni come i più felici della mia vita. Kylian aveva sposato uno degli uomini più brillanti che aveva prodotto questo paese ed erano andati a vivere insieme nella casa che lui stesso aveva costruito nella zona nord della città, una casa come non se n'erano mai viste. Il marito di mia figlia, Lahawaj Chandra Chatterghee, era ingegnere e scrittore. È stato uno dei primi a progettare la rete telegrafica di questo paese, Mr Carter, uno dei primi a progettare il sistema di elettrificazione che scriverà il futuro delle nostre città, uno dei primi a costruire una rete ferroviaria a Calcutta… Uno dei primi in tutto quello che si prefiggeva.

«Ma la loro felicità non durò molto. Chandra Chatterghee perse la vita nel terribile incendio che distrusse l'antica stazione di Jheeter's Gate, sull'altra riva dell'Hooghly. Probabilmente le sarà capitato di ve-

74

dere quell'edificio. Oggi è abbandonato, ma ai suoi tempi era una delle più celebri costruzioni di Calcutta. Una struttura in ferro rivoluzionaria, solcata da tunnel, con vari livelli e sistemi di aerazione e di connessione idraulica ai binari che ingegneri del mondo intero venivano a visitare e ammirare meravigliati. Tutto creato dall'ingegner Chandra Chatterghee.

«La sera dell'inaugurazione ufficiale, Jheeter's Gate bruciò inspiegabilmente e un treno che trasportava a Bombay più di trecento bambini abbandonati prese fuoco e rimase sepolto nelle tenebre dei tunnel scavati sotto terra. Nessuno uscì vivo da quel convoglio, che è ancora arenato tra le ombre di qualche punto del labirinto di gallerie sotterranee della riva occidentale di Calcutta.

«La sera in cui l'ingegnere morì in quel treno sarà ricordata dagli abitanti come una delle maggiori tragedie vissute da questa città. Molti lo considerarono un simbolo del fatto che le ombre l'avrebbero sovrastata per sempre. Non mancarono le voci secondo cui l'incendio era stato provocato da un gruppo di finanzieri britannici che temevano di essere danneggiati dalla nuova linea ferroviaria, nel momento in cui questa avesse dimostrato che il trasporto marittimo delle merci (uno dei grandi affari di Calcutta fin dai tempi di Lord Clive e della compagnia coloniale) era ormai prossimo alla decadenza. Il treno era il futuro. Le rotaie erano la strada sulla quale un giorno questo paese e questa città avrebbero potuto intraprendere il cammino verso un domani libero dall'invasione britannica. La sera in cui bruciò Jheeter's Gate, quei sogni si trasformarono in incubi.

«Alcuni giorni dopo la scomparsa dell'ingegner Chandra, mia figlia Kylian, che aspettava il suo primo figlio, fu oggetto delle minacce di uno strano personaggio emerso dalle tenebre di Calcutta, un assassino che aveva giurato di uccidere la moglie e i discendenti dell'uomo che riteneva responsabile di tutte le sue disgrazie. Fu quel criminale a causare l'incendio nel quale Chandra perse la vita. Un giovane ufficiale dell'esercito britannico, ex pretendente di mia figlia, il tenente Michael Peake, si propose di fermare quel pazzo, ma il compito si dimostrò molto più complesso di quanto credesse.

«La sera in cui mia figlia stava per partorire, alcuni uomini entrarono in casa e se la portarono via. Erano sicari. Gente senza nome né coscienza che è facile trovare per poche monete nelle strade di questa città. Per una settimana il tenente, sull'orlo della disperazione, frugò in ogni angolo della città in cerca di mia figlia. Dopo quella drammatica settimana ebbe una terribile intuizione che si rivelò esatta. L'assassino l'aveva portata all'interno delle rovine della stazione di Jheeter's Gate. Lì, tra l'immondizia e le macerie della tragedia, mia figlia aveva dato alla luce il ragazzo che lei ha fatto diventare uomo, Mr Carter.

«Sì, proprio lui, Ben, e sua sorella, che io ho cercato di far diventare donna e alla quale, proprio come ha fatto lei, ho dato un nome, il nome che la madre aveva sempre sognato per lei: Sheere.

«Il tenente Peake, mettendo a rischio la propria vita, riuscì a strappare i due bambini dalle mani dell'assassino. Ma quel criminale, accecato dalla rabbia, giurò di seguirne le tracce e di ucciderli non appena avessero raggiunto l'età adulta, per vendicarsi del loro padre, l'ingegner Chandra Chatterghee. Era il suo unico scopo: distruggere ogni vestigia dell'opera e della vita del suo nemico, a qualunque prezzo.

«Kylian morì con la promessa che la sua anima non avrebbe trovato pace finché non avesse saputo che i suoi figli erano in salvo. Il tenente Peake, l'uomo che l'aveva amata in silenzio almeno quanto il marito, si sacrificò per fare in modo che la promessa che sigillò le sue labbra potesse diventare realtà. Il 25 maggio 1916 il tenente Peake riuscì ad attraversare l'Hooghly e a consegnarmi i bambini. Il suo destino, a tutt'oggi, mi è sconosciuto.

«Decisi allora che l'unico modo per salvare la vita dei bambini era separarli e nascondere la loro identità e il loro domicilio. Il resto della storia di Ben lei lo conosce meglio di me. Quanto a Sheere, me ne sono presa cura e ho intrapreso un lungo viaggio attraverso il paese, educandola nel ricordo del grand'uomo che era suo padre e della grande donna che le aveva dato la vita, mia figlia. Non le ho mai raccontato più di quanto abbia ritenuto necessario. Nella mia ingenuità sono arrivata a pensare che la distanza nello spazio e nel tempo avrebbe cancellato l'orma del passato, ma niente può cambiare i nostri passi perduti. Quando ho ricevuto quella lettera, ho capito che la mia fuga era arrivata al capolinea e che era il momento di tornare a Calcutta per avvertirla di quanto stava succedendo. Non sono stata sincera con lei quella notte nella lettera che le ho scritto, Mr Carter, ma ho seguito il mio cuore, credendo in coscienza che fosse la cosa migliore da fare.

«Ho preso mia nipote, non potendo lasciarla sola ora che l'assassino conosceva il nostro rifugio, e abbiamo intrapreso il viaggio di ritorno. Per tutto il tragitto non riuscivo a togliermi dalla mente un'idea che assumeva un'evidenza ossessiva a mano a mano che ci avvicinavamo a destinazione. Avevo la certezza che adesso, nel momento in cui Ben e Sheere si lasciavano alle spalle l'infanzia e diventavano adulti, quell'assassino si fosse risvegliato dall'oscurità per mantenere la sua vecchia promessa e ho capito, con la lucidità che solo l'imminenza della tragedia ci concede, che questa volta non si sarebbe fermato davanti a niente e a nessuno...»

Thomas Carter rimase a lungo in silenzio, senza staccare lo sguardo dalle proprie mani appoggiate sulla scrivania. Quando alzò gli occhi, vide che Aryami era ancora lì; quanto aveva ascoltato non erano sue fantasie e l'unica decisione ragionevole che si sentiva in grado di prendere in quel momento era di versare un nuovo sorso di brandy nel bicchiere e di brindare da solo alla propria salute.

«Non mi crede...»

«Non ho detto questo» puntualizzò Carter.

«Non ha detto niente» ribatté Aryami «ed è questo che mi preoccupa.»

Carter assaporò il brandy e si chiese per quale infausto pretesto avesse sprecato dieci anni prima di scoprire le inebrianti meraviglie del liquore che conservava nella cristalliera con lo zelo riservato a una reliquia senza una vera utilità pratica.

«Non è facile credere a quello che mi ha appena raccontato, Aryami» rispose. «Si metta nei miei panni.»

«Eppure lei ha accettato di prendersi cura del ragazzo sedici anni fa» disse la donna.

«Mi sono preso cura di un bambino abbandonato, non di una storia improbabile. È il mio dovere, oltre che il mio lavoro. Questo edificio è un orfanotrofio e io ne sono il direttore. Questo è tutto. Non c'è altro.»

«Sì che c'è, Mr Carter» replicò Aryami. «Mi sono presa la briga di fare le mie indagini a suo tempo. Lei non ha mai denunciato il ritrovamento di Ben. Non lo ha mai registrato. Non esistono documenti che certificano il suo ingresso in questa istituzione. Doveva esserci qualche motivo per spingerla ad agire così, visto che non attribuiva alcuna credibilità a quella che ha definito una *storia improbabile.*»

«Mi spiace doverla contraddire, Aryami, ma quei documenti esistono. Con date e circostanze diverse. Questa è un'istituzione ufficiale, non una casa dei misteri.»

«Non ha risposto alla mia domanda» lo interruppe Aryami. «O meglio, mi ha solo offerto altri motivi per formularla di nuovo: cosa l'ha spinto a falsificare la storia di Ben se non credeva ai fatti che le esponevo nella mia lettera?»

«Con tutto il rispetto, non vedo perché dovrei rispondere.»

Gli occhi di Aryami si posarono sui suoi e Carter tentò di schivare quello sguardo. Un sorriso amaro affiorò sulle labbra dell'anziana donna.

«Lei lo ha visto» disse Aryami.

«Stiamo parlando di un nuovo personaggio della storia?» chiese il direttore.

«Chi tenta di ingannare l'altro, Mr Carter?» replicò Aryami.

La conversazione sembrava essere giunta a un punto morto. Carter si alzò e fece qualche passo nell'ufficio mentre la donna lo osservava attentamente.

Poi si voltò verso di lei.

«Ammettiamo che io dia credito alla sua storia. È solo una supposizione. Cosa si aspetta che faccia?»

«Allontanare Ben da questo posto» rispose secca Aryami. «Parlare con lui. Avvertirlo. Aiutarlo. Non le chiedo di fare niente che non abbia già fatto per il ragazzo in questi ultimi anni.»

«Ho bisogno di riflettere a fondo su questa situazione» disse Carter.

«Non si prenda troppo tempo. Quell'uomo ha aspettato sedici anni, forse non gli importa aspettare un giorno in più. Ma magari sì.»

Il direttore si lasciò cadere di nuovo sulla poltrona e abbozzò un gesto di tregua.

«Il giorno in cui trovammo Ben» spiegò «ricevetti la visita di un certo Jawahal. Mi chiese del ragazzo e io gli dissi che non ne sapevamo niente. Poco dopo sparì per sempre.»

«Quell'uomo utilizza molti nomi, molte identità, ma ha un unico obiettivo, Mr Carter» disse Aryami con un lampo di acciaio negli occhi. «Non ho attraversato l'India per starmene seduta a veder morire i figli di mia figlia per l'indecisione di un paio di vecchi rimbambiti, se mi permette l'espressione.»

«Vecchio rimbambito o no, ho bisogno di tempo per pensare con calma. Probabilmente sarà necessario avvertire la polizia.»

Aryami sospirò.

«Non c'è tempo e non servirebbe a niente» replicò con durezza. «Domani al tramonto lascerò Calcutta insieme a mia nipote. Domani pomeriggio Ben deve lasciare questo posto e andarsene lontano da qui. Lei ha solo poche ore per parlargli e preparare tutto.»

«Non è così facile» obiettò Carter.

«E invece è facilissimo: se non parla con il ragazzo, lo farò io» minacciò Aryami dirigendosi verso la porta dell'ufficio. «E preghi che quell'uomo non lo trovi prima che faccia giorno.»

«Domani parlerò con Ben» disse il direttore. «Non posso fare altro.»

La donna gli rivolse un ultimo sguardo dalla soglia dell'ufficio.

«Domani, Mr Carter, è oggi.»

«Una società segreta?» chiese Sheere con lo sguardo acceso di curiosità. «Credevo che esistessero solo nei romanzi d'appendice.»

«Il qui presente Siraj, il nostro esperto sull'argomento, potrebbe contraddirti per ore e ore» disse Ian.

81

Siraj annuì con espressione grave, confermando l'allusione alla sua erudizione senza limiti.

«Hai mai sentito parlare dei massoni?» domandò.

«Per favore» lo interruppe Ben. «Sheere finirà per pensare che siamo un manipolo di stregoni incappucciati.»

«Perché, non lo siete?» sorrise la ragazza.

«No» rispose solennemente Seth. «La Chowbar Society ha due scopi del tutto positivi: aiutarci fra noi e dare aiuto agli altri, e poi condividere le nostre conoscenze per costruire un futuro migliore.»

«Non è la stessa cosa che dicono di volere tutti i grandi nemici dell'umanità?» chiese Sheere.

«Soltanto negli ultimi due o tremila anni» tagliò corto Ben. «Cambiamo argomento. Questa è una notte speciale per la Chowbar Society.»

«Oggi ci sciogliamo» disse Michael.

«I morti parlano» sottolineò Roshan, sorpreso.

Sheere guardò con stupore quel gruppo di ragazzi, dissimulando quanto la divertiva il fuoco incrociato a cui si sottoponevano tra di loro.

«Michael vuol dire che oggi avrà luogo l'ultima riunione della Chowbar Society» spiegò Ben. «Dopo sette anni, cala il sipario.»

«Accidenti» commentò Sheere, «per una volta che mi imbatto in una vera società segreta, è già sul punto di sciogliersi. Non avrò tempo di entrare a farne parte.»

«Nessuno ha detto che si accettano nuovi membri» si affrettò a precisare Isobel, che aveva assistito in silenzio alla conversazione senza togliere gli occhi di dosso all'intrusa. «Anzi, se non fosse per questi chiacchieroni, che hanno tradito uno dei giuramenti della Chowbar, non sapresti nemmeno che esiste. Vedono una gonna e non capiscono più niente.»

Sheere rivolse a Isobel un sorriso conciliatore e soppesò la leggera ostilità che la ragazza le dimostrava. La perdita dell'esclusività non era facile da accettare.

«Voltaire diceva che i peggiori misogini sono sempre state le donne» affermò come per caso Ben.

«E chi diavolo è Voltaire?» saltò su Isobel. «Una tale stupidaggine può essere solo farina del tuo sacco.»

«Ha parlato l'ignoranza in persona» replicò Ben. «Anche se forse Voltaire non ha detto proprio così...»

«Interrompete le ostilità» intervenne Roshan. «Isobel ha ragione. Non avremmo dovuto parlare.»

Sheere notò con inquietudine come l'atmosfera sembrava cambiare colore nel giro di pochi secondi.

«Non vorrei essere motivo di discussione. La cosa migliore è che me ne torni da mia nonna. Considero dimenticato quanto avete detto» disse restituendo il bicchiere di limonata a Ben.

«Non così in fretta, principessa» esclamò Isobel alle sue spalle.

Sheere si voltò e affrontò la ragazza.

«Adesso che sai qualcosa, è giusto che tu sappia tutto e che mantenga il segreto» aggiunse Isobel con un mezzo sorriso imbarazzato. «Scusami per prima.»

«Buona idea» sentenziò Ben. «Forza.»

Sheere alzò le sopracciglia, attonita.

83

«Dovrà pagare il prezzo di ammissione» ricordò Siraj. «Non ho soldi...»

«Non siamo una chiesa, mia cara, non vogliamo i tuoi soldi» replicò Seth. «Il prezzo è un altro.»

Sheere fece scorrere lo sguardo sui volti enigmatici dei ragazzi in cerca di una risposta. Ian le sorrise con aria affabile.

«Tranquilla, non è niente di male» le spiegò. «La Chowbar Society si riunisce nella sua sede segreta non appena ha inizio il nuovo giorno. Tutti abbiamo pagato il nostro prezzo quando siamo entrati.»

«Qual è la vostra sede segreta?»

«Un palazzo» rispose Isobel. «Il Palazzo della Mezzanotte.»

«Non ne ho mai sentito parlare.»

«Perché nessuno ne ha mai sentito parlare, eccetto noi» aggiunse Siraj.

«E quale sarebbe questo prezzo?»

«Una storia» rispose Ben. «Una storia personale e segreta che non hai mai raccontato a nessuno. La condividerai con noi e il tuo segreto non uscirà mai dalla Chowbar Society.»

«Ce l'hai una storia così?» la sfidò Isobel mordendosi il labbro inferiore.

Sheere osservò di nuovo i sei ragazzi e la ragazza che la scrutavano con attenzione e annuì.

«Ho una storia come non ne avete mai ascoltate» rispose alla fine.

«Allora» disse Ben fregandosi le mani «mettiamoci all'opera.»

Mentre Aryami Bose spiegava i motivi che l'avevano riportata a Calcutta con la nipote dopo lunghi
anni di esilio, i sette membri della Chowbar Society
scortavano Sheere in mezzo agli arbusti che circondavano il Palazzo della Mezzanotte. Agli occhi della
nuova arrivata, il palazzo non era altro che un vecchio casermone abbandonato, attraverso il cui tetto
sfondato si vedeva il cielo cosparso di stelle e tra le
cui ombre sinuose affioravano i resti di gargolle, colonne e decorazioni in rilievo, vestigia di quello che
un tempo doveva essere stato un palazzo nobiliare
di pietra, uscito dalle pagine di un libro di favole.

Attraversarono il giardino lungo uno stretto tunnel
scavato nella vegetazione selvatica che conduceva
direttamente all'ingresso principale della casa. Una
leggera brezza agitava le foglie degli arbusti e fischia-
va tra le arcate di pietra del palazzo. Ben si voltò indietro e guardò la ragazza sfoggiando un sorriso da
orecchio a orecchio.

«Che te ne pare?» chiese, visibilmente orgoglioso.

«Diverso» concesse Sheere, timorosa di raffreddare
l'entusiasmo del ragazzo.

«Sublime» corresse Ben, proseguendo sulla sua
strada senza prendersi la briga di contraddire nuove valutazioni sul fascino del quartier generale della Chowbar Society.

Sheere sorrise tra sé e si lasciò guidare, pensando
a quanto le sarebbe piaciuto conoscere quel luogo
e quei ragazzi in una notte simile, negli anni in cui
per loro era stato rifugio e santuario. Tra rovine e ricordi, il posto emanava quell'aura di magia e illu-

sione che resta viva soltanto nella memoria confusa dei primi anni di vita. Non importava che fosse solo per un'ultima notte; aveva voglia di pagare il prezzo di ammissione alla quasi estinta Chowbar Society.

«La mia storia segreta è in realtà la storia di mio padre. L'una e l'altra sono inseparabili. Non l'ho mai conosciuto di persona né conservo di lui altri ricordi tranne quelli che ho appreso da mia nonna e attraverso i suoi libri e i suoi quaderni, ma, per quanto strano possa sembrarvi, non mi sono mai sentita così vicina a nessuno al mondo e, anche se è morto prima che nascessi, sono sicura che saprà aspettarmi fino al giorno in cui mi riunirò con lui e scoprirò che è sempre stato proprio come lo avevo immaginato: l'uomo migliore che sia mai comparso sulla faccia della terra.

«Non sono poi tanto diversa da voi. Non sono cresciuta in un orfanotrofio, ma non ho mai saputo cosa volesse dire avere una casa o qualcuno, a parte mia nonna, con cui parlare per più di un mese. Vivevamo sui treni, in casa di sconosciuti, per strada, senza meta, senza un posto che potessimo considerare casa nostra e al quale tornare. In tutti questi anni l'unico amico che ho avuto è stato mio padre. Come vi ho già detto, anche se lui non c'era, ho imparato tutto quello che so dai suoi libri e dai ricordi che mia nonna conservava di lui.

«Mia madre è morta nel darmi alla luce e ho imparato a vivere con il rimorso di non poterla ricordare e di non serbare altra immagine della sua personalità salvo quella riflessa da mio padre nei suoi libri. Fra tutti, fra i trattati di ingegneria e i grossi tomi che non sono mai riuscita a capire, il mio preferito è sempre stato un piccolo volume di racconti intitolato *Le lacrime di Shiva*. Lo scrisse quando ancora non aveva compiuto trentacinque anni, e stava progettando la creazione della prima linea ferroviaria a Calcutta e la costruzione di una rivoluzionaria stazione di acciaio che sognava di realizzare in città. Un piccolo editore di Bombay stampò non più di seicento copie del libro, per il quale mio padre non vide mai una rupia. Io ne ho una. È un volumetto nero con lettere incise in oro sul dorso che recitano: *Le lacrime di Shiva*, di L. Chandra Chatterghee.

«È diviso in tre parti. La prima parla del suo ideale di una nuova nazione edificata su uno spirito di progresso basato sulla tecnologia, la ferrovia e l'elettricità. Lui la chiamava *Il mio paese*. La seconda parte descrive una casa, una dimora meravigliosa che progettava di costruire per sé e la sua famiglia in futuro, quando avesse messo insieme la fortuna che sognava di possedere. Descrive ogni angolo di quella casa, ogni stanza, ogni colore e ogni oggetto con dettagli che neanche i disegni di un architetto potrebbero uguagliare. Chiamò quella parte *La mia casa*. La terza parte, intitolata *La mia mente*, è semplicemente una raccolta di piccoli racconti e favole che mio padre scriveva fin dall'adolescenza. La mia storia preferita è quella che dà il titolo al libro. È brevissima e ve la racconterò...»

Una volta, tanto tempo fa, gli abitanti di Calcutta furono colpiti da una terribile calamità che strappava la vita ai bambini e faceva in modo che, a poco a poco, la gente invecchiasse sempre più in fretta e le speranze nel futuro svanissero. Per porvi rimedio, Shiva intraprese un lungo viaggio alla ricerca di una medicina che curasse quella malattia. Nel corso del suo esodo dovette affrontare numerosi pericoli. Erano tante le difficoltà nelle quali si imbatteva lungo il cammino, che il viaggio lo tenne lontano molti anni. Quando tornò a Calcutta, scoprì che era tutto cambiato. In sua assenza, uno stregone arrivato dall'altra parte del mondo aveva portato con sé uno strano medicamento che aveva venduto agli abitanti della città a un prezzo altissimo: l'anima dei bambini che sarebbero nati sani a partire da quel giorno.

Questo fu ciò che videro i suoi occhi. Dove prima c'erano giungla e baracche di fango, ora si innalzava una grande città, così grande che nessuno poteva abbracciarla con una sola occhiata e che si perdeva all'orizzonte in qualunque direzione si guardasse. Una città di palazzi. Shiva, affascinato dallo spettacolo, decise di incarnarsi e di andarsene in giro per le strade vestito da mendicante per conoscere i nuovi abitanti di quel posto, i figli che la medicina dello stregone aveva consentito di far nascere e le cui anime gli appartenevano. Ma lo aspettava una cocente delusione.

Per sette giorni e sette notti il mendicante camminò per le strade di Calcutta e bussò alle porte dei palazzi, ma gli vennero tutte chiuse in faccia. Nessuno volle ascoltarlo e fu oggetto delle burle e del disprezzo generale. Disperato, vagando in quella immensa città, scoprì la povertà, la

miseria e l'oscurità nascoste in fondo al cuore degli uo-
mini. Fu tanta la sua tristezza, che l'ultima notte decise
di abbandonare per sempre Calcutta.

Mentre lo faceva cominciò a piangere e, senza render-
sene conto, si lasciò alle spalle una scia di lacrime che si
perdevano nella giungla. All'alba le lacrime di Shiva era-
no diventate ghiaccio. Quando gli uomini si resero conto
di quel che avevano fatto, cercarono di rimediare al loro
errore custodendo le lacrime di ghiaccio in un santuario.
Però, una dopo l'altra, si sciolsero nelle loro mani e la cit-
tà non conobbe mai più il ghiaccio.

Da quel giorno, la maledizione di un terribile calore si
abbatté sulla città e gli dèi le volsero le spalle per sempre,
lasciandola alla mercé degli spiriti dell'oscurità. I pochi
uomini saggi e giusti rimasti pregavano perché, un gior-
no, le lacrime di ghiaccio di Shiva cadessero di nuovo dal
cielo e spezzassero quell'incantesimo che aveva trasfor-
mato Calcutta in una città maledetta...

«Questa è sempre stata la mia prediletta tra le storie di mio padre. Forse è la più semplice, ma nessuna rappresenta così bene l'essenza di ciò che lui ha
significato e ancora significa per me, ogni giorno
della mia vita. Anch'io, come gli uomini della città
maledetta che devono pagare il prezzo del passato,
aspetto il giorno in cui le lacrime di Shiva cadranno sulla mia vita e mi libereranno definitivamente
dalla mia solitudine. Nel frattempo, continuo a sognare quella casa che mio padre costruì dapprima
nella sua mente e, anni dopo, in qualche angolo della parte nord di questa città. So che esiste, anche se

mia nonna lo ha sempre negato. Credo che mio padre, senza che lei lo sappia, abbia descritto nel libro la zona in cui pensava di costruirla un giorno, proprio qui, nella *città nera*. In tutti questi anni ho vissuto con la speranza di percorrerla e di riconoscere tutto quello che già conosco a memoria: la sua biblioteca, le sue stanze, la sua sedia da lavoro...

«Questa è la mia storia. Non l'avevo mai raccontata a nessuno perché non avevo nessuno a cui raccontarla. Fino a oggi.»

Quando Sheere ebbe terminato il suo racconto, la penombra che regnava nel palazzo aiutò a dissimulare le lacrime che affioravano negli occhi di qualche membro della Chowbar Society. Nessuno di loro sembrava disposto a rompere il silenzio che alla fine della storia aveva impregnato l'atmosfera. Sheere rise nervosamente e guardò Ben.

«Merito di entrare nella Chowbar Society?» chiese timidamente.

«Per quel che mi riguarda» rispose lui, «meriti di essere membro onorario.»

«Esiste davvero quella casa, Sheere?» indagò Siraj, affascinato dall'idea.

«Sono sicura di sì» rispose Sheere. «E penso di trovarla. La chiave è da qualche parte, nei libri di mio padre.»

«Quando?» domandò Seth. «Quando cominciamo a cercarla?»

«Domani stesso» approvò Sheere. «Con il vostro aiuto, se volete...»

«Avrai bisogno dell'aiuto di qualcuno che sappia pensare» commentò Isobel. «Conta su di me.»

«Io sono un esperto scassinatore» disse Roshan.

«Io posso trovare nell'archivio comunale tutte le mappe dal momento in cui si è insediato il governo del 1859» aggiunse Seth.

«Io posso verificare se esiste qualche leggenda misteriosa in proposito» intervenne Siraj. «Potrebbe essere una casa stregata.»

«Io posso disegnarla esattamente com'è nella realtà» disse Michael. «Posso fare la pianta. A partire dal libro, voglio dire.»

Sheere sorrise e guardò Ben e Ian.

«Bene» concluse Ben. «Qualcuno dovrà pur dirigere le operazioni. Accetto l'incarico. E Ian può fare delle applicazioni di iodio a chiunque dovesse ferirsi con qualche scheggia.»

«Immagino che non accettereste un no» disse Sheere.

«Abbiamo cancellato la parola *no* dal dizionario della biblioteca del St Patrick's sei mesi fa» disse Ben. «Adesso sei un membro della Chowbar Society. I tuoi problemi sono i nostri. Ordine della confraternita.»

«Credevo che ci fossimo sciolti» ricordò Siraj.

«Decreto una proroga per circostanze di estrema gravità» rispose Ben rivolgendo un'occhiata fulminante all'amico.

Siraj si perse nell'ombra.

«D'accordo» concesse Sheere. «Ma adesso dobbiamo tornare.»

Lo sguardo con cui Aryami accolse Sheere e il plenum della Chowbar Society sarebbe stato in grado di gelare la superficie dell'Hooghly a mezzogiorno. L'anziana donna aspettava accanto alla porta della facciata principale in compagnia di Bankim. Il cui aspetto bastò a fare in modo che Ben ritenesse prudente iniziare a elaborare un discorso di scuse per attenuare la ramanzina che di certo aspettava la sua nuova amica. Ben sopravanzò leggermente gli altri e sfoggiò il suo sorriso migliore.

«È colpa mia, signora. Volevamo soltanto mostrare a sua nipote il cortile posteriore dell'edificio.»

Aryami non si degnò neppure di guardarlo e si rivolse direttamente a Sheere.

«Ti avevo detto di aspettare qui e di non muoverti» disse con il viso acceso d'ira.

«Eravamo appena a venti metri da qui, signora» fece notare Ian.

Aryami lo fulminò con lo sguardo.

«Non stavo parlando con te, ragazzo» tagliò corto senza il minimo accenno di cortesia.

«Ci spiace di averle causato un problema, signora, non era nostra intenzione…» insisté Ben.

«Lascia perdere, Ben» lo interruppe Sheere. «Posso parlare da sola.»

Il volto ostile dell'anziana si deformò per un istante. Il fatto non passò inavvertito a nessuno dei ragazzi. Aryami indicò Ben e impallidì alla tenue luce dei lampioni del giardino.

«Tu sei Ben?» chiese sottovoce.

Il ragazzo annuì, nascondendo la propria sorpresa

e sostenendo lo sguardo impenetrabile della donna. Non c'era ira nei suoi occhi, soltanto tristezza e inquietudine. Aryami li abbassò e strinse il braccio della nipote.

«Dobbiamo andare» disse. «Saluta i tuoi amici.»

I membri della Chowbar Society fecero un cenno con il capo per salutare e Sheere sorrise timidamente mentre si allontanava, trascinata per il braccio da Aryami Bose, perdendosi di nuovo nelle strade oscure della città. Ian si avvicinò a Ben e osservò l'amico, pensieroso e con lo sguardo fisso sulle sagome quasi invisibili di Sheere e Aryami che si allontanavano nella notte.

«Per un momento mi è sembrato che quella donna avesse paura» disse Ian.

Ben annuì senza battere ciglio.

«Chi non ha paura in una notte così?» chiese.

«Credo che la cosa migliore per oggi sia andare tutti a dormire» disse Bankim dalla soglia.

«È un suggerimento o un ordine?» domandò Isobel.

«Sapete bene che per voi i miei suggerimenti sono sempre ordini» affermò Bankim, indicando l'interno dell'edificio. «Dentro.»

«Tiranno» mormorò Siraj tra i denti. «Goditi i pochi giorni che ti restano.»

«I riciclati sono i peggiori» aggiunse Roshan.

Bankim assistette sorridendo alla sfilata dei sette ragazzi che rientravano nell'istituto, indifferente ai loro mugugni di protesta. Ben fu l'ultimo a oltrepassare la porta e scambiò uno sguardo di complicità con Bankim.

«Anche se adesso si lamentano» disse, «tra cinque giorni rimpiangeranno il tuo servizio di polizia.»

«Lo rimpiangerai anche tu, Ben» sorrise Bankim.

«Io lo rimpiango già» mormorò il ragazzo tra sé, infilando le scale che salivano verso le camere da letto del primo piano, consapevole che, nel giro di una settimana, non avrebbe più contato quei ventiquattro gradini che conosceva così bene.

A un certo punto della notte, Ben si svegliò nella tenue penombra azzurrina che aleggiava nella camera da letto e credette di sentire una ventata d'aria gelida sul volto, un respiro invisibile proveniente da qualcuno nascosto nell'oscurità. Un fascio di luce evanescente tremolava lentamente dalla stretta finestra d'angolo e proiettava mille ombre danzanti sui muri e sul soffitto. Ben allungò la mano fino al modesto comodino di fianco al letto e rivolse il quadrante dell'orologio verso il chiarore della luna. Le lancette segnavano le tre, l'equatore della notte.

Sospirò, sospettando che gli ultimi residui di sonno fossero svaniti dalla sua mente come gocce di rugiada al sole del mattino, e intuì che Ian doveva avergli prestato per una notte il fantasma della sua insonnia. Chiuse di nuovo le palpebre ed evocò le immagini della festa finita solo da qualche ora, fiducioso nel loro potere balsamico e soporifero. Proprio in quel momento sentì per la prima volta quel rumore e si drizzò sul letto per ascoltare la strana vibrazione che sembrava fischiare tra le foglie del giardino in cortile.

Scostò le lenzuola e andò lentamente alla finestra. Da lì poteva avvertire il lieve tintinnio dei lampioni spenti tra i rami degli alberi e l'eco lontana di quelle che gli sembrarono voci infantili che ridevano e parlavano all'unisono. Centinaia di voci. Appoggiò la fronte al vetro e, attraverso lo spettro del proprio fiato, intuì la sagoma di una figura snella e immobile al centro del cortile, avvolta in una tunica nera, che guardava dritto verso di lui. Spaventato, fece un passo indietro e sotto i suoi occhi il vetro si scheggiò lentamente, a partire da un'incrinatura al centro della superficie trasparente, estendendosi come l'edera, come una ragnatela di crepe tessuta da innumerevoli artigli invisibili. Sentì che gli si drizzavano i capelli sulla nuca e che il respiro accelerava.

Si guardò intorno. Tutti i suoi compagni giacevano immobili, immersi in un sonno profondo. Le voci distanti dei bambini gli arrivarono di nuovo e Ben si accorse che una nebbiolina gelatinosa si infiltrava tra le fenditure del vetro, simile a una boccata di fumo azzurrognolo che attraversa un panno di seta. Si riavvicinò alla finestra e cercò di sbirciare in cortile. La sagoma era ancora lì, ma stavolta tese un braccio per indicarlo, mentre le sue dita lunghe e affilate si separavano in fiamme. Ben rimase ammaliato per diversi secondi, incapace di distogliere lo sguardo da quella visione. Quando la sagoma gli voltò le spalle e cominciò ad allontanarsi nell'oscurità, il ragazzo reagì e uscì in fretta dalla stanza.

Il corridoio era deserto e illuminato a stento da una lampada a gas della vecchia dotazione del St

Patrick's, una di quelle sopravvissute ai lavori di ristrutturazione degli ultimi anni. Corse verso le scale e le discese in tutta fretta, attraversò il refettorio e uscì in cortile dalla porta laterale delle cucine, appena in tempo per vedere quella figura perdersi nel vicolo buio che costeggiava la parte posteriore dell'edificio, sepolta in una nebbia fitta che sembrava salire dalle grate dei tombini. Affrettò il passo verso la nebbia e vi si immerse.

Percorse un centinaio di metri in quel tunnel di vapore freddo e aleggiante fino a raggiungere il vasto spiazzo che si apriva a nord del St Patrick's, una terra di nessuno usata come discarica e cittadella di baracche per gli abitanti più diseredati del nord di Calcutta. Evitò le pozzanghere melmose che infestavano il sentiero fra il contorto labirinto di casupole incendiate e disabitate e si addentrò in quel luogo dal quale Thomas Carter lo aveva sempre messo in guardia. Le voci dei bambini provenivano da qualche punto nascosto tra le rovine di quel pantano di povertà e sporcizia.

Ben diresse i suoi passi verso uno stretto corridoio che si apriva tra due baracche diroccate e si fermò di colpo vedendo che aveva trovato quello che cercava. Davanti ai suoi occhi si apriva una spianata infinita e deserta di antiche capanne rase al suolo; al centro di quello scenario, la nebbia azzurrina sembrava sgorgare come il respiro di un drago invisibile nella notte. Anche le voci dei bambini sbucavano dallo stesso punto, tuttavia Ben non sentiva più risate né canzoni infantili, ma solo le terribili urla di panico e terrore di centinaia di piccoli prigionieri. Sentì che un vento freddo lo sbatteva con forza contro i muri del tugurio e che, tra la nebbia palpitante, sorgeva il fragore furioso di una grande macchina di acciaio che faceva tremare il terreno sotto i suoi piedi.

Chiuse gli occhi e poi guardò di nuovo, credendo di essere vittima di un'allucinazione. Dalle tenebre spuntava un treno di metallo incandescente avvolto dalle fiamme. Riuscì a vedere i volti agonizzanti di decine di bambini prigionieri al suo interno e la pioggia di scintille che schizzavano in ogni direzione, formando una cascata di braci. I suoi occhi seguirono il convoglio fino alla locomotiva, una maestosa scultura metallica che pareva sciogliersi lentamente, come una figura di cera gettata in un falò. Nella cabina, immobile tra le fiamme, lo osservava la figura che aveva visto nel cortile, e che ora gli allargava le braccia in segno di benvenuto.

Sentì il calore delle fiamme sul viso e si portò le mani alle orecchie per attutire le esasperanti urla dei bambini. Il treno di fuoco attraversò quella spianata di desolazione e Ben comprese con orrore che si dirigeva a tutta velocità verso l'edificio del St Patrick's, con la furia e la rabbia di un proiettile incendiario. Lo rincorse, schivando la pioggia di scintille e lacrime di ferro fuso che gli cadevano attorno, ma i suoi piedi non erano in grado di uguagliare la crescente rapidità con la quale il convoglio si lanciava contro l'orfanotrofio, tingendo il cielo di rosso scarlatto al suo passaggio. Si fermò senza fiato e gridò con tutte le forze per avvisare quelli che dormivano tranquillamente all'interno dell'istituto, ignari della tragedia che stava per abbattersi su di loro. Disperato, vide il treno ridurre in pochi secondi la distanza che lo separava dal St Patrick's, e capì che, nel giro di qualche attimo, la locomotiva avrebbe polverizzato l'edificio facendo saltare in aria i suoi abitanti. Cadde in ginocchio e urlò per l'ultima volta, guardando impotente il treno che penetrava nel cortile del St Patrick's e si dirigeva senza rimedio contro il grande muro della facciata posteriore.

Ben si preparò al peggio, ma non poteva immaginare quello a cui i suoi occhi avrebbero assistito entro pochi decimi di secondo.

La locomotiva impazzita e avvolta in un tornado di fiamme si schiantò contro il muro rivelandosi un fantasma di fuochi fatui. L'intero treno affondò nella parete di mattoni rossi come un serpente a vapore, disintegrandosi nell'aria e portando con sé il terribile ululato dei bambini e l'assordante ruggito della locomotiva.

Due secondi dopo, l'oscurità notturna era di nuovo assoluta e il profilo incolume dell'orfanotrofio si stagliava sulle luci lontane della *città bianca* e del Maidan, centinaia di metri più a sud. La nebbia si infiltrò nelle fessure del muro e poco dopo non restava nessuna traccia dello spettacolo al quale aveva appena assistito. Ben si avvicinò lentamente alla parete e appoggiò il palmo della mano sulla superficie intatta. Una scossa elettrica gli attraversò il braccio scaraventandolo a terra, e allora vide l'ombra nera e fumante della sua mano che era rimasta impressa sul muro.

Quando si rialzò, si accorse che il polso gli batteva molto in fretta e che gli tremavano le mani. Respirò a fondo e si asciugò le lacrime che il fuoco gli aveva strappato. Lentamente, quando ritenne di aver recuperato almeno in parte la calma, fece il giro dell'edificio e si diresse di nuovo verso la porta delle cucine. Ricorrendo al trucco che Roshan gli aveva insegnato per beffare il chiavistello interno, la aprì con cautela e percorse al buio le cucine e il corridoio del pianoterra fino alle scale. L'orfanotrofio era immerso nel più profondo dei silenzi, e Ben capì che nessun altro aveva sentito il rumore del treno.

Tornò in camerata. I suoi compagni dormivano ancora e non c'erano tracce di scheggiature sul vetro della finestra. Attraversò la stanza e si distese sul letto ansimando. Prese di nuovo l'orologio dal comodino e guardò l'ora. Avrebbe giurato di essere rimasto fuori per quasi venti minuti. Le lancette segnavano la stessa ora di quando lo aveva consultato al momento del risveglio. Se lo portò all'orecchio e ascoltò il ticchettio regolare del meccanismo. Il ragazzo rimise a posto l'orologio e cercò di mettere ordine nei pensieri. Cominciava a dubitare di quello a cui aveva assistito o che aveva creduto di vedere. Probabilmente non si era mosso dalla stanza e l'intero episodio era stato soltanto un sogno. I respiri profondi intorno a lui e il vetro intatto sembravano avallare quella supposizione. O forse cominciava a essere vittima della sua stessa immaginazione. Confuso, chiuse gli occhi e cercò inutilmente di prendere sonno nella speranza che, fingendo di dormire, il suo corpo si lasciasse ingannare.

All'alba, quando il sole si era appena affacciato sulla *città grigia*, il settore musulmano a est di Calcutta, saltò giù dal letto e corse nel cortile posteriore per esaminare alla luce del giorno il muro della facciata. Non c'erano tracce del treno. Ben stava per concludere che era stato tutto un sogno, di intensità poco comune ma pur sempre un sogno, quando una piccola macchia scura sulla parete, intravista con la coda dell'occhio, attirò la sua attenzione. Si avvicinò e riconobbe il palmo della sua mano chiaramente delineato sul muro di mattoni d'argilla. Sospirò e si affrettò a tornare in camerata per svegliare Ian, il quale, per la prima volta dopo molte settimane, era riuscito ad abbandonarsi fra le braccia di Morfeo, finalmente libero dalle sue abitudini di insonne contumace.

Alla luce del giorno, la magia del Palazzo della Mezzanotte sbiadiva e la sua condizione di casermone nostalgico di tempi migliori si evidenziava senza pietà. Ciò nonostante, le parole di Ben attenuarono l'effetto del contatto con la realtà che la contemplazione del loro scenario preferito senza la bellezza e il mistero delle notti di Calcutta avrebbe potuto provocare nei membri della Chowbar Society. Tutti lo avevano ascoltato in rispettoso silenzio, con espressioni che andavano dalla sorpresa all'incredulità.

«Ed è sparito nel muro come se fosse fatto d'aria?» chiese Seth.

Ben annuì.

«È la storia più strana che tu abbia raccontato nell'ultimo mese, Ben» osservò Isobel.

«Non è una storia. È quello che ho visto» replicò lui.

«Nessuno lo mette in dubbio» disse Ian in tono conciliante. «Ma dormivamo tutti e non abbiamo sentito niente. Neanch'io.»

«Questo sì che è incredibile» commentò Roshan. «Magari Bankim ha messo qualcosa nella limonata.»

«Possibile che nessuno mi prenda sul serio?» domandò Ben. «Eppure avete visto l'impronta della mano.»

Nessuno rispose. Ben fissò il più mingherlino, il membro asmatico, la vittima prescelta per quanto riguardava le storie di fantasmi e di apparizioni.

«Siraj?» gli chiese Ben.

Il ragazzo alzò gli occhi e guardò gli altri, esaminando la situazione.

«Non sarebbe la prima volta che qualcuno vede una cosa simile a Calcutta» dichiarò. «C'è la storia di Hastings House, per esempio.»

«Non vedo cosa c'entri» obiettò Isobel.

La vicenda di Hastings House, l'antica residenza del governatore della provincia a sud di Calcutta, era una delle preferite di Siraj e probabilmente la più emblematica storia di fantasmi fra tutte quelle che popolavano gli annali della città, una storia densa e truculenta come poche. Secondo la tradizione locale, nelle notti di luna piena lo spettro di Warren Hastings, il primo governatore del Bengala, viaggiava su un carro fantasma fino al porticato della sua

vecchia dimora ad Alipore, dove cercava frenetica-
mente alcuni documenti scomparsi durante i tumul-
tuosi giorni del suo mandato in città.

«La gente l'ha visto per decenni» protestò Siraj.
«È vero come è vero che il monsone fa inondare le
strade.»

I membri della Chowbar Society si avventuraro-
no in un'accalorata discussione sulla visione di Ben
alla quale solo l'interessato si astenne dal partecipare. Pochi minuti dopo, quando ogni ragionevole
ipotesi di dialogo sembrava scartata, i volti che in-
tervenivano nella disputa si girarono a guardare la
figura vestita di bianco che li osservava in silenzio
dalla soglia della sala senza tetto in cui si trovavano. A uno a uno si arresero al silenzio.

«Non vorrei avervi interrotto» disse Sheere timidamente.

«Sia benvenuta l'interruzione» replicò Ben. «Stavamo solo discutendo. Tanto per cambiare.»

«Ho sentito la fine» ammise Sheere. «Hai visto
qualcosa stanotte, Ben?»

«Non ne sono più così sicuro» riconobbe il ragazzo. «E tu? Sei riuscita a sfuggire al controllo di tua
nonna? Mi sembra che ieri sera ti abbiamo messo
nei guai.»

Sheere sorrise e fece segno di no.

«Mia nonna è una brava donna, ma a volte si lascia prendere dalle sue ossessioni e mi vede circon-
data dai pericoli a ogni angolo» spiegò. «Non sa che
sono qui. Posso restare poco tempo.»

«Perché? Oggi avevamo pensato di andare ai moli,

potresti venire con noi» disse Ben tra la sorpresa degli altri, che sapevano di quei progetti per la prima volta.

«Non posso venire con voi, Ben. Sono venuta a dirvi addio.»

«Cosa?» esclamarono varie voci all'unisono.

«Partiamo domani per Bombay» disse Sheere. «Mia nonna dice che questa città non è un posto sicuro e che dobbiamo andarcene. Mi ha proibito di rivedervi, ma non volevo andarmene senza salutarvi. In dieci anni siete gli unici amici che ho avuto, anche se solo per una sera.»

Ben la guardò attonito.

«Andate a Bombay?» sbottò. «A fare cosa? Tua nonna vuole diventare una stella del cinema? È assurdo!»

«Temo di no» confermò Sheere con tristezza. «Mi restano solo poche ore a Calcutta. Spero che non vi dispiaccia se le passo con voi.»

«Ci piacerebbe molto che tu restassi qui, Sheere» disse Ian, parlando a nome di tutti.

«Un momento!» urlò Ben. «Cos'è questa storia degli addii? Solo poche ore a Calcutta? Impossibile, signorina. Puoi passare cent'anni in questa città e non capire nemmeno la metà di quello che succede. Non puoi andartene così. E tantomeno adesso che sei membro a pieno titolo della Chowbar Society.»

«Allora dovrai parlarne con mia nonna» affermò Sheere con aria rassegnata.

«È quello che penso di fare.»

«Grande idea» commentò Roshan. «Ieri sera le hai fatto un'ottima impressione.»

«Uomini di poca fede» si lamentò Ben. «Che fine ha fatto il giuramento della società? Bisogna aiutare Sheere a trovare la casa di suo padre. Nessuno lascerà questa città senza avere prima trovato quella casa e svelato i suoi misteri. Punto.»

«Io ci sto» disse Siraj. «Ma come pensi di riuscirci? Vuoi minacciare la nonna di Sheere?»

«A volte può più la parola che la spada» affermò Ben. «A proposito, chi l'ha detta questa frase?»

«Voltaire?» insinuò Isobel.

Ben ignorò l'ironia.

«E quali sarebbero queste parole così potenti?» chiese Ian.

«Le mie no di certo» spiegò Ben. «Quelle di Mr Carter. Faremo in modo che sia lui a parlare con tua nonna.»

Sheere abbassò lo sguardo e scosse la testa lentamente.

«Non funzionerà, Ben» disse, priva di speranza. «Non conosci Aryami Bose. Nessuno è testardo quanto lei. Ce l'ha nel sangue.»

Ben sfoggiò un sorriso felino e i suoi occhi brillarono al sole di mezzogiorno.

«Io lo sono più di lei. Aspetta di vedermi in azione e cambierai idea» mormorò.

«Finirai per metterci un'altra volta nei guai» disse Seth.

Ben sollevò un sopracciglio con gesto altezzoso e osservò a uno a uno i volti dei presenti, polverizzando qualsiasi accenno di ribellione che potesse celarsi nel loro animo.

«Chi ha qualcosa da dire, parli adesso oppure taccia per sempre» minacciò in tono solenne.

Non si levarono voci di protesta.

«Bene. Approvato all'unanimità. In marcia.»

Carter introdusse la sua chiave personale nella serratura dell'ufficio e la fece girare due volte. Il meccanismo gemette e la porta si aprì. Entrò nella stanza e se la richiuse alle spalle. Non aveva voglia di parlare con nessuno né di vedere gente per almeno un'ora. Si sbottonò il gilet e si diresse alla sua poltrona. Fu allora che notò la figura immobile, seduta nella poltrona di fronte alla sua, e capì di non essere solo. La chiave gli scivolò dalle dita, ma non arrivò a toccare il pavimento. Una mano agile, infilata in un guanto nero, l'afferrò al volo. Il volto scarno si affacciò dallo schienale della poltrona e sfoggiò un sorriso canino.

«Chi è lei? E come ha fatto a entrare?» volle sapere Carter, senza riuscire a reprimere un tremito nella voce.

L'intruso si alzò e Carter sentì il sangue fuggirgli via dalle guance quando riconobbe l'uomo che gli aveva fatto visita in quello stesso ufficio sedici anni prima. Il viso non era invecchiato di un solo giorno e gli occhi conservavano la stessa ardente rabbia che il rettore ricordava. Jawahal. L'ospite si avvicinò alla porta e la chiuse a chiave. Carter deglutì. Gli avvertimenti che gli aveva dato Aryami Bose la notte prima sfilarono a tutta velocità nella sua mente. Jawahal strinse la chiave tra le dita e il metallo si piegò con la facilità di una forcina di ottone.

«Non sembra contento di rivedermi, Mr Carter» disse. «Non ricorda l'appuntamento che avevamo preso sedici anni fa? Avevo detto: "Forse darò un contributo all'orfanotrofio...".»

«Esca di qui immediatamente o mi vedrò costretto ad avvisare la polizia» minacciò il direttore.

«Non si preoccupi della polizia, per il momento. L'avvertirò io quando me ne andrò. Si sieda, e mi conceda il piacere della sua conversazione.»

Carter si sedette sulla poltrona e lottò per non tradire le emozioni e riuscire a mantenere un'espressione serena, autoritaria. Jawahal gli sorrise amichevolmente.

«Immagino che lei sappia perché sono qui» disse l'intruso.

«Non so cosa cerca, ma qui non lo troverà» replicò Carter.

«Forse sì o forse no» ribatté Jawahal con aria indifferente. «Cerco un bambino che non è più tale; adesso è un uomo. Lei sa di chi si tratta. Mi spiacerebbe molto vedermi costretto a farle del male.»

«Mi sta minacciando?»

Jawahal rise.

«Sì» rispose con freddezza. «E quando lo faccio, lo faccio sul serio.»

Per la prima volta Carter considerò concretamente la possibilità di gridare per chiedere aiuto.

«Se ha intenzione di urlare prima del tempo» suggerì Jawahal «mi permetta almeno di darle qualche motivo valido.»

Non appena ebbe pronunciato queste parole,

Jawahal tese di fronte al viso la mano destra e cominciò a sfilarsi flemmaticamente il guanto che la copriva.

Sheere e gli altri membri della Chowbar Society avevano appena oltrepassato la soglia del cortile del St Patrick's quando le finestre dell'ufficio di Thomas Carter al primo piano esplosero con un fracasso terribile e il giardino fu ricoperto da una pioggia di schegge di vetro, legno e mattoni. I ragazzi rimasero paralizzati per un secondo e subito dopo corsero in tutta fretta verso l'edificio, incuranti del fumo e delle fiamme che affioravano dal buco apertosi nella facciata.

Al momento dell'esplosione Bankim si trovava all'estremità opposta del corridoio, intento a esaminare alcuni documenti amministrativi che si proponeva di consegnare a Carter per la firma. L'onda espansiva lo scaraventò a terra; quando alzò gli occhi, vide la porta dell'ufficio del rettore schizzare via in mezzo alla nuvola di fumo che invadeva il corridoio e schiantarsi contro il muro. Un secondo dopo Bankim si rimise in piedi e corse verso l'origine dell'esplosione. Quando restavano appena sei metri tra lui e la porta dell'ufficio, Bankim vide una sagoma nera che ne usciva avvolta dalle fiamme, dispiegava un mantello scuro e si allontanava lungo il corridoio come un grande pipistrello a una velocità inverosimile. La figura sparì lasciando dietro di sé una scia di cenere ed emettendo un suono che a Bankim ricordò il furioso sibilo del cobra pronto a balzare addosso alla sua vittima.

Bankim trovò Carter disteso sul pavimento dell'ufficio. Aveva il volto coperto di ustioni, e i vestiti fumanti sembravano usciti da un incendio. Bankim si precipitò accanto al suo mentore e cercò di tirarlo su. Le mani del rettore tremavano e Bankim constatò con sollievo che respirava ancora, anche se con una certa difficoltà. Gridò per chiedere aiuto e, poco dopo, i volti di alcuni ragazzi si affacciarono alla porta. Ben, Ian e Seth lo aiutarono ad afferrare Carter e a sollevarlo da terra, mentre gli altri sgomberavano le macerie dal corridoio e preparavano un posto dove adagiare il rettore del St Patrick's.

«Che diavolo è successo?» chiese Ben.

Bankim scosse la testa, incapace di rispondere alla domanda e visibilmente turbato per il forte shock. Unendo gli sforzi riuscirono a portare il ferito in corridoio mentre Vendela, con il volto bianco come la porcellana e lo sguardo perso, correva ad avvertire l'ospedale più vicino.

A poco a poco cominciò ad arrivare il resto del personale del St Patrick's, senza capire cosa avesse provocato quel boato e a chi appartenesse il corpo bruciacchiato steso a terra. Ian e Roshan formarono un cordone di protezione e dissero a tutti coloro che si avvicinavano di farsi indietro e di non ostacolare il passaggio.

L'attesa dell'aiuto promesso si fece infinita.

Dopo la confusione creata dall'esplosione e il sospirato arrivo dell'ambulanza dell'ospedale generale di Calcutta, il St Patrick's si ritrovò immerso in mezz'ora di spaventosa incertezza. Alla fine, dopo i primi attimi di panico, quando lo scoramento iniziava a farsi strada tra i presenti, un medico dell'équipe si avvicinò a Bankim e ai ragazzi per tranquillizzarli, mentre tre colleghi continuavano a prendersi cura della vittima.

Vedendolo comparire, si affollarono tutti intorno a lui, ansiosi e in attesa di notizie.

«Ha riportato ustioni piuttosto gravi e abbiamo riscontrato diverse fratture, ma è fuori pericolo. La cosa che adesso mi preoccupa di più sono gli occhi. Non possiamo garantire il completo recupero della vista, ma è presto per dirlo. Sarà necessario ricoverarlo e sedarlo abbondantemente prima di effettuare le cure. Dovremo sicuramente operarlo. Ho bisogno di qualcuno che possa autorizzare il ricovero» disse il dottore, un giovane dai capelli rossi con lo sguardo intenso e un'aria risoluta e competente.

«Se ne può occupare Vendela» disse Bankim.

Il dottore annuì.

«Bene. Ma c'è dell'altro» aggiunse. «Chi di voi è Ben?»

Tutti lo guardarono attoniti. Ben alzò lo sguardo, senza capire.

«Sono io» rispose. «Che succede?»

«Vuole parlare con te» disse il dottore, con un tono di voce che metteva in chiaro come avesse tentato di dissuadere Carter dall'idea e che disapprovava la richiesta.

Ben annuì e si affrettò a entrare nell'ambulanza dove i medici avevano adagiato il direttore.

«Solo un minuto, ragazzo» avvertì il medico. «Neanche un secondo di più.»

Ben si avvicinò alla barella dove giaceva Thomas Carter e cercò di rivolgergli un sorriso tranquillizzante, ma quando vide in quale stato si trovava il direttore dell'orfanotrofio sentì lo stomaco chiudersi e le parole non gli arrivarono alle labbra. Alle sue spalle, uno dei medici gli fece segno di reagire. Ben inspirò a fondo e annuì.

«Salve, Mr Carter. Sono Ben» disse il ragazzo, chiedendosi se fosse in grado di sentirlo.

Il ferito girò lentamente la testa e sollevò una mano tremante. Ben la prese tra le sue e la strinse con delicatezza.

«Di' a quell'uomo di lasciarci soli» gemette Carter, che non aveva neppure aperto gli occhi.

Il medico gli lanciò uno sguardo severo e attese qualche secondo prima di lasciarli parlare in privato.

«I dottori dicono che si riprenderà…» mormorò Ben.

Il direttore scosse la testa.

«Adesso no, Ben» lo interruppe Carter, al quale ogni parola sembrava costare uno sforzo titanico. «Devi ascoltarmi attentamente senza interrompermi. Mi hai capito?»

Ben annuì in silenzio. Ci mise un po' a capire che l'altro non poteva vederlo.

«L'ascolto, signore.»

Carter gli strinse le mani.

«C'è un uomo che ti sta cercando per ucciderti, Ben. Un assassino» articolò a fatica il direttore. «È necessario che tu mi creda. Si fa chiamare Jawahal e sembra convinto che tu abbia qualcosa a che vedere con il suo passato. Non so per quale ragione ti cerca, ma so che è pericoloso. Quello che ha fatto a me è soltanto una piccola dimostrazione di quello di cui è capace. Devi parlare con Aryami Bose, la donna che è venuta ieri all'orfanotrofio. Dille quello che ti ho raccontato, quello che è successo. Lei ha tentato di avvertirmi, ma non ho preso sul serio le sue parole. Non commettere anche tu lo stesso errore. Vai a cercarla e parla con lei. Dille che Jawahal è stato qui. Lei ti spiegherà cosa devi fare.»

Quando le labbra ustionate di Thomas Carter si chiusero, Ben sentì il mondo crollare attorno a lui. Ciò che il direttore del St Patrick's gli aveva appena confidato gli risultava del tutto inverosimile. Lo spavento per l'esplosione doveva aver danneggiato seriamente le facoltà di ragionamento del direttore e il delirio lo portava a immaginare una cospirazione contro la sua vita e Dio solo sapeva quali altri pericoli improbabili. Prendere in considerazione qualsiasi alternativa sembrava inaccettabile in quel momento, ancor più, se possibile, alla luce dell'episodio sognato la notte precedente. Prigioniero dell'atmosfera claustrofobica dell'ambulanza impregnata del freddo fetore dell'etere, Ben si chiese per un istante se gli abitanti del St Patrick's stessero per caso iniziando a perdere la ragione. Tutti, compreso lui.

«Mi hai sentito, Ben?» insisté Carter con voce agonizzante. «Hai capito quello che ti ho detto?»

«Certo, signore» mormorò il ragazzo. «Non deve preoccuparsi, signore.»

Il direttore aprì gli occhi e Ben vide con orrore il segno che le fiamme vi avevano lasciato.

«Ben» tentò di gridare Carter con la voce rotta dal dolore. «Fai quello che ti ho detto. Adesso. Va' da quella donna. Giuramelo.»

Ben avvertì alle sue spalle i passi del dottore dai capelli rossi e sentì che il medico lo prendeva per il braccio e lo trascinava energicamente fuori dall'ambulanza. La mano di Carter scivolò tra le sue e restò sospesa a mezz'aria.

«Basta così» disse il medico. «Quest'uomo ha già sofferto abbastanza.»

«Giuramelo!» gemette Carter agitando la mano.

Il ragazzo guardò costernato i medici che iniettavano a Carter una nuova dose di sedativi.

«Glielo giuro, signore» disse, senza sapere con certezza se l'altro era ancora in grado di sentirlo. «Glielo giuro.»

Bankim lo aspettava accanto all'ambulanza. Dietro di lui, tutti i membri della Chowbar Society e quanti erano presenti nel St Patrick's al momento della disgrazia lo guardavano ansiosi e con l'aria abbattuta. Ben si avvicinò a Bankim e lo fissò dritto negli occhi iniettati di sangue per il fumo e le lacrime.

«Bankim, ho bisogno di sapere una cosa» disse Ben. «È venuto un certo Jawahal a far visita a Mr Carter?»

Il professore lo guardò senza capire.

«Non è venuto nessuno oggi» rispose. «Mr Carter è stato tutta la mattina in riunione con il Consiglio municipale ed è tornato qui verso mezzogiorno. Poi ha detto che sarebbe andato a lavorare nel suo ufficio e non voleva essere disturbato, neanche per il pranzo.»

«Sei sicuro che fosse da solo nel suo ufficio quando c'è stata l'esplosione?» chiese Ben, pregando di ricevere una risposta affermativa.

«Sì. Credo di sì» rispose Bankim in maniera decisa, anche se nel suo sguardo c'era un'ombra di dubbio. «Perché mi fai questa domanda? Cosa ti ha detto?»

«Ne sei assolutamente sicuro, Bankim?» insisté Ben. «Pensaci bene. È importante.»

Il professore abbassò lo sguardo e si massaggiò la fronte, come se cercasse le parole adatte a descrivere ciò che a stento riusciva a ricordare.

«In un primo momento» disse, «un istante dopo l'esplosione ho avuto l'impressione di vedere qualcosa o qualcuno che usciva dall'ufficio. Era tutto molto confuso.»

«Qualcosa o qualcuno?» chiese Ben. «Cos'era?»

Bankim sollevò lo sguardo e si strinse nelle spalle.

«Non lo so» rispose. «Niente che io conosca può muoversi così veloce.»

«Un animale?»

«Non so cosa ho visto, Ben. La cosa più probabile è che fosse solo frutto della mia immaginazione.»

Il disprezzo che le superstizioni e i racconti di presunti prodigi sovrannaturali risvegliavano in Bankim era familiare a Ben. Il ragazzo sapeva che il professore non avrebbe mai ammesso di avere assistito a qualcosa che sfuggiva alla sua capacità di analisi o di comprensione. Se la sua mente non era in grado di spiegarlo, i suoi occhi non potevano averlo visto. Tutto molto semplice.

«Ammesso che sia stato così» chiese Ben per l'ultima volta, «cos'altro hai immaginato?»

Bankim rivolse lo sguardo al buco annerito che occupava lo spazio riservato fino a poche ore prima all'ufficio di Thomas Carter.

«Mi è sembrato che ridesse» ammise a bassa voce. «Ma non penso di ripeterlo a nessun altro.»

Ben annuì e lasciò il professore accanto all'ambulanza per raggiungere i suoi amici che aspettavano con ansia di conoscere la natura della conversazione con Carter. In mezzo a loro, Sheere lo osservava con evidente inquietudine, come se nel profondo del suo animo fosse l'unica in grado di intuire che le notizie portate da Ben stavano per far prendere agli eventi una strada buia e mortale, dalla quale nessuno di loro sarebbe potuto tornare indietro.

«Dobbiamo parlare» disse Ben lentamente. «Ma non qui.»

Ricordo quella mattina di maggio come il primo segno della tempesta che si addensava inesorabilmente sui nostri destini, tramando alle nostre spalle e crescendo all'ombra della nostra completa innocenza, quella benedetta ignoranza che ci faceva ritenere meritevoli di uno stato di grazia proprio di coloro che, essendo privi di passato, non hanno nulla da temere dal futuro.

In quel momento non sapevamo ancora che gli sciacalli della sventura non inseguivano lo sfortunato Thomas Carter. Le loro zanne erano avide di sangue più giovane e segnato dalle stimmate di una maledizione, un sangue che non poteva nascondersi né tra la folla che si accalcava nella confusione dei mercati di strada né nelle viscere di qualche impenetrabile palazzo di Calcutta.

Seguimmo Ben verso il Palazzo della Mezzanotte alla ricerca di un posto segreto in cui ascoltare quello che aveva da dirci. Quel giorno, nessuno di noi ospitava nel proprio cuore la paura che, dietro lo strano incidente e le parole incerte pronunciate dalle labbra baciate dal fuoco del nostro rettore, potesse celarsi una minaccia più grande di quella della separazione e del vuoto verso il quale le pagine bianche del nostro futuro sembravano condurci. Dovevamo ancora imparare che il Diavolo ha creato la gioventù per farci commettere i nostri errori e che Dio ha istituito la maturità e la vecchiaia per consentirci di pagarne il prezzo.

Ricordo anche che ascoltammo il resoconto di Ben della sua conversazione con Thomas Carter e capimmo tutti, senza eccezione, che ci stava nascondendo qualcosa di ciò che il rettore ferito gli aveva confidato. E ricordo l'espressione preoccupata che i volti dei miei amici, e il mio, acquistavano via via che capivamo, per la prima volta in tanti anni, che il nostro compagno Ben aveva scelto di escluderci dalla verità, quali che fossero i suoi motivi.

Quando, alcuni minuti più tardi, volle parlare da solo con Sheere, pensai che il mio migliore amico avesse appena assestato la pugnalata finale che avrebbe segnato gli ultimi giorni della Chowbar Society. In seguito i fatti mi avrebbero dimostrato che ancora una volta avevo giudicato male Ben e la fedeltà che i giuramenti del nostro club ispiravano nel suo animo.

In quel momento, però, mi bastò osservare il volto del mio amico Ben mentre parlava con Sheere per intuire che la ruota della fortuna aveva invertito il suo giro e che sul tavolo c'era una mano al buio, la cui posta ci spingeva a giocare una partita al di là delle nostre possibilità.

La città dei palazzi

Alla luce brumosa di quel giorno umido e caldo di maggio, i profili delle incisioni e delle gargolle del rifugio segreto della Chowbar Society sembravano figure di cera intagliate a coltello da mani furtive. Il sole si era nascosto dietro uno spesso strato di nubi color cenere, e una caligine soffocante che si coagulava nelle strade della *città nera* saliva dal fiume Hooghly, emulando i vapori letali di un pantano avvelenato.

Ben e Sheere conversavano dietro due colonne crollate nella sala centrale del casermone, mentre gli altri aspettavano a una decina di metri, rivolgendo di tanto in tanto sguardi furtivi e sospettosi alla coppia.

«Non so se ho fatto bene a tenerlo nascosto ai miei compagni» confessò Ben a Sheere. «So che ne saranno dispiaciuti e che va contro i principi della Chowbar Society, ma se esiste anche una remota possibilità che in giro ci sia un assassino che vuole uccidermi, cosa di cui dubito, non ho intenzione di coinvolgerli in questa storia. E non voglio neanche coinvolgere te, Sheere. Non riesco a immaginare cosa c'entri tua nonna con tutto questo, e fino a quando non lo scoprirò la cosa migliore sarà mantenere questo segreto fra me e te.»

Sheere annuì. Le dispiaceva che in qualche modo quel segreto diviso con Ben si frapponesse tra lui e i suoi amici, ma allo stesso tempo, cosciente che la gravità della situazione poteva essere maggiore di quanto emergeva in quel momento, si godeva la vicinanza con il ragazzo che quel vincolo le procurava.

«Anch'io devo dirti qualcosa, Ben» cominciò Sheere. «Stamattina, quando sono venuta a salutarvi, non pensavo che fosse importante, ma ora le cose sono cambiate. Ieri notte, mentre tornavamo verso la casa dove siamo alloggiate, mia nonna mi ha fatto giurare che non avrei mai più parlato con te. Mi ha detto che dovevo dimenticarti e che ogni tentativo da parte mia di avvicinarmi a te poteva finire in una tragedia.»

Ben sospirò per la velocità che stava acquistando quel torrente di minacce velate che fiorivano su tutte le labbra e riguardavano la sua persona. Tutti, tranne lui, sembravano conoscere qualche segreto indicibile che lo trasformava in una carta segnata e portatrice di disgrazie. Quella che all'inizio era stata incredulità e più tardi inquietudine cominciava a trasformarsi in aperta irritazione e ira per la quantità di segreti che parevano agitarsi alle sue spalle.

«Che spiegazioni ti ha dato per una cosa del genere?» chiese Ben. «Non mi aveva mai visto prima di ieri sera e non credo che il mio comportamento giustificasse simili assurdità.»

«Non penso che avesse a che fare con questo» disse Sheere. «Era spaventata. Non c'era rabbia nelle sue parole. Soltanto paura.»

«E allora dovremo trovare qualche spiegazione migliore della paura, se vogliamo scoprire cosa sta succedendo» replicò Ben. «Andremo da lei subito.»

Poi si diresse nel punto dove lo aspettavano gli altri membri della Chowbar Society. I loro volti rivelavano che avevano discusso l'argomento e che erano arrivati a una decisione. Ben scommise su chi sarebbe stato il portavoce della inevitabile protesta. Tutti guardarono Ian e lui, scoprendo la cospirazione, alzò gli occhi al cielo e sospirò.

«Ian deve dirti qualcosa» puntualizzò Isobel. «E parla a nome di tutti noi.»

Ben si piantò davanti ai compagni e sorrise.

«Vi ascolto.»

«Be'…» esordì Ian «il senso di quello che vogliamo dire…»

«Vai al sodo, Ian» lo interruppe Seth.

Ian si voltò, con tutta la serena furia contenuta che il suo flemmatico carattere gli permetteva.

«Se devo essere io a spiegarlo, lo faccio come pare a me. Chiaro?»

Nessuno osò obiettare o imporre sfumature diverse alla sua oratoria. Ian riprese il suo compito.

«Come dicevo, la cosa essenziale è che crediamo ci sia qualcosa che non quadra. Ci hai detto che Mr Carter ti ha raccontato dell'esistenza di un criminale che gira intorno all'orfanotrofio e che lo ha aggredito. Un criminale che nessuno ha visto e i cui moventi, stando alle tue spiegazioni, non capiamo. E non capiamo neanche perché ha chiesto di parlare in particolare con te e perché sei rimasto a chiacchierare con Bankim e non ci hai detto di cosa. Immaginiamo che tu abbia le tue ragioni per mantenere il segreto e condividerlo solo con Sheere, o meglio, che tu creda di averle. Però, a onor del vero, se tieni in qualche considerazione questa società e i suoi propositi, dovresti avere fiducia in noi e non nasconderci niente.»

Ben soppesò le parole di Ian e osservò i volti degli altri compagni, che annuirono al discorso del loro portavoce.

«Se ho taciuto qualcosa è perché penso che altrimenti avrei potuto mettere in pericolo le vostre vite» spiegò Ben.

«Il principio fondamentale di questa società è di aiutarci l'un l'altro fino alle estreme conseguenze, e non semplicemente di ascoltare storie di fantasmi e poi sparire alle prime difficoltà, quando si sente puzza di bruciato» protestò Seth, furibondo.

«Questa è una società, non un'orchestra di signorine» aggiunse Siraj.

Isobel gli rifilò una pacca sulla nuca.

«Tu stai zitto» sbottò.

«D'accordo» dichiarò Ben. «Tutti per uno e uno per tutti. È questo che volete? I Tre Moschettieri?»

Lo fissarono tutti, poi, lentamente, uno alla volta, annuirono.

«Benissimo. Vi dirò quello che so. Che non è molto» disse Ben.

Nei dieci minuti seguenti la Chowbar Society

ascoltò il suo racconto in versione integrale, compresa la conversazione con Bankim e i timori della nonna di Sheere. Poi, finita l'esposizione, fu la volta delle domande.

«Qualcuno ha mai sentito parlare di quel Jawahal?» domandò Seth. «Tu, Siraj?»

L'uomo-enciclopedia non offrì altra risposta che un diniego assoluto.

«Sappiamo se Mr Carter poteva avere degli affari con un tipo del genere? Forse nel suo archivio può esserci qualcosa al riguardo?» chiese Isobel.

«Possiamo verificarlo» disse Ian. «Adesso la cosa fondamentale è parlare con tua nonna, Sheere, e sbrogliare questa matassa.»

«Sono d'accordo» intervenne Roshan. «Andiamo da lei, poi decideremo il piano d'azione.»

«C'è qualche obiezione alla proposta di Roshan?» domandò Ian.

Un diniego generale invase i muri in rovina del Palazzo della Mezzanotte.

«Bene, in marcia.»

«Un momento» disse Michael.

I ragazzi si voltarono ad ascoltare il sempre taciturno virtuoso della matita, il cronista grafico della storia della Chowbar Society.

«Non hai pensato che tutto questo potrebbe avere qualche legame con la storia che ci hai raccontato stamattina, Ben?»

Ben deglutì. Da mezz'ora si poneva la stessa domanda, ma non era in grado di trovare il collegamento fra i due eventi.

121

«Non vedo il nesso, Michael» disse Seth.

Gli altri meditarono sull'argomento, ma nessuno sembrava incline a dissentire dal parere di Seth.

«Non credo che esista» li confortò Ben. «Immagino che sia stato solo un sogno.»

Michael lo guardò dritto negli occhi, una cosa che non faceva praticamente mai, e gli mostrò un piccolo disegno che teneva tra le dita. Ben lo esaminò e identificò la sagoma di un treno che attraversava una pianura desolata di capanne e baracche. Una maestosa locomotiva che terminava a cuneo, sovrastata da grandi fumaioli che sputavano vapore e fumo, lo trascinava sotto un cielo seminato di stelle nere. I vagoni erano avvolti dalle fiamme e attraverso i finestrini si intuivano centinaia di volti spettrali che tendevano le braccia e gridavano. Michael aveva tradotto su carta con fedeltà assoluta le parole di Ben, che sentì un brivido corrergli lungo la schiena e guardò l'amico.

«Non capisco, Michael» mormorò. «Dove vuoi andare a parare?»

Sheere si avvicinò e il suo viso impallidì quando osservò il disegno e intuì il nesso tra la visione di Ben e l'incidente del St Patrick's che Michael aveva portato allo scoperto.

«Il fuoco» mormorò la ragazza. «È il fuoco.»

La casa di Aryami Bose era rimasta chiusa per anni e i fantasmi di migliaia di ricordi prigionieri tra i muri impregnavano ancora l'atmosfera di quella dimora abitata da libri e quadri.

Lungo la strada avevano deciso all'unanimità che la cosa migliore era che Sheere entrasse in casa per prima, mettesse Aryami al corrente dei fatti e le manifestasse la volontà dei ragazzi di parlare con lei. Una volta superata questa prima fase, i membri della Chowbar Society ritennero comunque opportuno limitare il numero dei loro rappresentanti alla riunione con l'anziana, immaginando che la vista di sette adolescenti sconosciuti avrebbe rallentato sensibilmente la sua lingua. Perciò, oltre a Sheere e a Ben, si decise che anche Ian fosse presente alla conversazione. Ian accettò di nuovo il ruolo di ambasciatore della società, non senza sospettare che la frequenza con la quale gli toccava assumere quel ruolo fosse dovuta non tanto alla fiducia riposta dagli amici nel suo ingegno e nella sua moderazione, quanto all'aria inoffensiva e in grado di guadagnarsi l'approvazione di adulti e funzionari pubblici. In ogni caso, dopo aver percorso le strade della *città nera* e avere atteso qualche minuto nel cortile dall'aspetto selvatico che circondava la dimora di Aryami Bose, Ian si unì a Ben e, a un cenno di Sheere, entrarono in casa mentre gli altri aspettavano il loro ritorno.

Sheere li condusse fino a una sala miseramente illuminata da una dozzina di candele sistemate all'interno di piccoli vasi pieni d'acqua. Le gocce della cera che si scioglieva formavano fiori congelati che offuscavano il riflesso della fiamma. I tre giovani si sedettero di fronte all'anziana, che li osservava in silenzio dalla poltrona, e scrutarono la penombra che vegliava sulle pareti coperte di tele e gli scaffali sepolti dalla polvere di anni.

Aryami aspettò che gli occhi dei tre ragazzi si posassero sui suoi e si chinò verso di loro, in atteggiamento confidenziale.

«Mia nipote mi ha raccontato quello che è successo» esordì. «E non posso dire di essere sorpresa. Ho vissuto per anni con il timore che accadesse qualcosa del genere, ma non ero mai arrivata a pensare che sarebbe avvenuto così, in questo modo. Prima di tutto, sappiate che quello a cui oggi avete assistito è soltanto l'inizio e che, dopo avermi ascoltato, starà a voi lasciare che le cose seguano il loro corso o evitarlo. Io ormai sono vecchia e mi mancano lo spirito e la salute per combattere forze che mi soverchiano e che ogni giorno mi riesce più difficile comprendere.»

Sheere prese la mano raggrinzita della nonna e l'accarezzò dolcemente. Ian osservò come Ben si mordicchiava le unghie e gli propinò una gomitata discreta.

«C'è stato un periodo della mia vita in cui ho creduto che nulla fosse più forte dell'amore. Certo, è forte, ma la sua forza è minuscola e impallidisce di fronte al fuoco dell'odio» spiegò Aryami. «So che queste rivelazioni non sono il regalo più adatto per il vostro sedicesimo compleanno; normalmente si permette ai ragazzi di vivere nell'ignoranza del vero volto del mondo fino alla gioventù inoltrata, ma temo che voi non godrete di questo dubbio privilegio. So anche che, per il semplice fatto che provengono da un'anziana, dubiterete delle mie parole e dei miei giudizi. In tutto questo tempo ho imparato a riconoscere quello sguardo negli occhi di mia nipote. E in effetti nulla è difficile da credere come la verità e, al contrario, niente è più seducente della forza della menzogna quanto maggiore è il suo peso. È una legge della vita e starà al vostro giudizio trovare il giusto equilibrio. Detto questo, permettetemi di spiegarvi che, oltre agli anni, questa vecchia ha collezionato mille storie, ma non ne avevo mai conosciuta una triste e terribile come quella che sto per raccontarvi e della quale, senza saperlo, siete stati protagonisti involontari fino a oggi...»

«C'è stato un tempo in cui anch'io sono stata giovane e ho fatto tutto quello che ci si aspetta dai giovani: sposarsi, avere figli, indebitarsi, subire delusioni e rinunciare ai sogni e ai princìpi che si era giurato di rispettare. In una parola, invecchiare. E tuttavia la sorte è stata generosa con me, almeno così mi parve al principio, e ha unito la mia vita a quella di un uomo del quale la cosa migliore e la peggiore che si possa dire è che era buono. Non era un giovane di bell'aspetto, inutile mentire. Ricordo che, quando veniva a casa, le mie sorelle ridevano di lui di nascosto. Era un po' goffo, timido, con l'aria di uno che aveva passato gli ultimi dieci anni della sua vita rinchiuso in una biblioteca: il sogno di qualsiasi ragazzina della tua età, Sheere.

«Il mio fidanzato era maestro in una scuola statale del sud di Calcutta. Aveva uno stipendio miserabile che si rispecchiava in pieno nel suo abbigliamento. Ogni sabato veniva a prendermi indossando lo

stesso vestito, l'unico che possedeva e che riservava per le riunioni a scuola e per corteggiare me. Passarono sei anni prima che potesse comprarne un altro, ma i vestiti non gli sono mai stati troppo bene;
non aveva il fisico adatto.

«Le mie due sorelle sposarono due brillanti e flo-
ridi pretendenti che trattavano con sufficienza tuo
nonno e, alle sue spalle, mi rivolgevano sguardi
torridi che, secondo loro, avrei dovuto interpretare
come l'opportunità di godere di un uomo vero, anche solo per pochi minuti della mia vita.

«Con il tempo, quegli scansafatiche sarebbero vis-
suti solo grazie alla carità del mio uomo e ai suoi fa-
vori, ma questa è un'altra storia. Lui leggeva negli
occhi di quelle sanguisughe, perché è sempre stato
capace di vedere l'anima delle persone con le quali aveva a che fare, eppure non negò mai loro il suo
aiuto e finse di dimenticare le burle e il disprezzo
con cui era stato trattato in gioventù. Io non lo avrei
fatto, ma il mio uomo, come vi ho detto, è sempre
stato buono. Forse troppo.

«La sua salute, purtroppo, era fragile e mi lasciò
presto, un anno dopo la nascita della nostra unica
figlia, Kylian. Dovetti crescerla da sola e cercare di
insegnarle tutto quello che suo padre avrebbe voluto che imparasse. Kylian è stata la luce che ha illuminato la mia vita dopo la morte di tuo nonno. Da
lui aveva ereditato la natura bonaria e l'intuito per
leggere nel cuore degli altri. Ma, dove lui mostrava
goffaggine e timidezza, lei sprizzava luminosità ed
eleganza. La sua bellezza cominciava nei gesti, nel-

la voce, nei movimenti. Da bambina, le sue parole stregavano gli ospiti e la gente per strada con la magia di un incantesimo. Ricordo che, guardandola civettare con i commercianti dei bazar quando aveva appena dieci anni, ero solita immaginare che quella bambina fosse come il cigno emerso dalle acque della memoria del mio uomo, un anatroccolo brutto e sgraziato. Il suo spirito viveva in lei, nei suoi gesti più insignificanti e nel modo in cui a volte, in silenzio, si soffermava a osservare la gente dal portico di questa casa e mi guardava, con serietà assoluta, per chiedermi perché ci fossero al mondo tante persone sfortunate.

«Ben presto tutta la gente della *città nera* cominciò a riferirsi a lei utilizzando il soprannome con il quale l'aveva ribattezzata un fotografo di Bombay: la principessa della luce. E naturalmente, per una simile principessa, non tardarono a sbucare anche da sotto i sassi i candidati al ruolo di principe. Furono tempi meravigliosi, nei quali lei condivideva con me le ridicole confidenze dei suoi agghindati pretendenti, le orripilanti poesie che le scrivevano e tutta una galleria di aneddoti che, se si fossero prolungati, ci avrebbero portato a credere che tutti i giovani di questa città fossero soltanto dei poveri cretini. E invece, come sempre, apparve sulla scena qualcuno che avrebbe cambiato tutto: tuo padre, l'uomo più intelligente e più strano che abbia mai conosciuto.

«A quell'epoca, come oggi, la stragrande maggioranza dei matrimoni erano combinati dalle famiglie come un semplice accordo commerciale, nel quale la volontà dei futuri sposi non aveva alcun valore. La maggior parte delle tradizioni non sono altro che le malattie di una società. Per tutta la vita, avevo giurato a me stessa che il giorno in cui Kylian si fosse sposata lo avrebbe fatto con la persona che aveva scelto liberamente.

«Quando tuo padre bussò a questa porta, incarnava tutto il contrario delle decine di mosconi che si pavoneggiavano ronzando senza sosta intorno a tua madre. Parlava poco, ma quando lo faceva le sue parole erano taglienti come un coltello e non lasciavano spazio a repliche. Era gentile e, quando voleva, possedeva uno strano fascino che seduceva in modo lento ma inesorabile. Ciò nonostante, manteneva sempre un atteggiamento distante e freddo con chiunque. Tranne che con tua madre. In sua compagnia diventava un'altra persona, vulnerabile e quasi infantile. Non sono mai riuscita a sapere quale delle due fosse la sua vera personalità e immagino che tua madre si sia portata questo segreto nella tomba.

«Tuo padre, nelle rare occasioni in cui si degnava di parlare con me, dava poche spiegazioni. Quando finalmente si decise a chiedere il mio consenso per sposare tua madre, gli domandai come pensava di mantenerla e qual era la sua posizione. Gli anni al limite della povertà con tuo nonno mi avevano insegnato a proteggere mia figlia da un'esperienza simile e mi avevano convinta che non c'è niente come uno stomaco vuoto per smascherare il mito dell'effetto nobilitante della fame dello spirito.

«Tuo padre mi guardò tenendo per sé i suoi veri

pensieri, come faceva sempre, e rispose che la sua professione era quella di ingegnere e scrittore. Disse che stava cercando di ottenere un lavoro nella compagnia britannica di costruzioni e che un editore di Delhi gli aveva anticipato una somma per un manoscritto che aveva consegnato. Tutto quello, sfrondato dalla letteratura con la quale tuo padre abbelliva i suoi discorsi quando gli conveniva, mi puzzava di miseria e privazioni. Glielo dissi proprio così. Sorrise e, prendendomi dolcemente la mano tra le sue, mi sussurrò delle parole che non dimenticherò mai: "Madre, glielo dico per la prima e ultima volta. Il mio futuro e quello di sua figlia adesso sono nelle nostre mani, e così pure la necessità di mantenerla e di farmi strada nella vita. Nessuno, vivo o morto, potrà interferire. Di questo non deve preoccuparsi, e abbia fiducia nell'amore che provo per sua figlia. Ma se le preoccupazioni non le fanno chiudere occhio, stia bene attenta a non macchiare con una sola parola, gesto o azione, il vincolo che, con o senza il suo consenso, unirà me e Kylian per sempre, altrimenti l'eternità non sarà abbastanza lunga per pentirsene".

«Tre mesi dopo si sposarono e da allora non ebbi mai più occasione di parlare a quattr'occhi con tuo padre. Il futuro gli diede ragione e ben presto cominciò a farsi un nome come ingegnere, senza abbandonare la sua passione per la letteratura. Si trasferirono in una casa non molto lontana da qui, che è stata abbattuta da anni, mentre lui progettava la dimora dei suoi sogni, un vero palazzo che concepì millimetro per millimetro per potervisi un giorno ritirare con tua madre. Nessuno allora immaginava quello che stava per succedere.

«In realtà non sono mai riuscita a conoscerlo davvero. Lui non mi diede mai questa opportunità, né sembrò provare alcun interesse ad aprire le sue porte a qualcuno che non fosse tua madre. La sua personalità mi intimidiva e in sua presenza mi sentivo incapace di attaccare discorso o di tentare di ingraziarmelo. Era impossibile sapere cosa pensasse. Leggevo tutti i suoi libri, che tua madre mi portava quando veniva a trovarmi, e li studiavo fino all'ultima riga cercando la chiave nascosta per addentrarmi nel labirinto della sua mente. Non sono mai riuscita a penetrarvi.

«Tuo padre era un uomo misterioso che non parlava mai della sua famiglia e del suo passato. Forse per questo non sono stata capace di intuire la minaccia che incombeva su di lui e su mia figlia, una minaccia nata da quel passato oscuro e insondabile. Non mi ha mai dato la possibilità di aiutarlo e, nel momento della disgrazia, è rimasto solo come era stato per tutta la vita, rinchiuso nella sua fortezza di solitudine liberamente scelta, le cui chiavi una sola persona aveva tenuto in mano negli anni condivisi con lui: Kylian.

«Ma tuo padre, come tutti noi, aveva un passato e da lì emerse la figura che avrebbe trascinato la nostra famiglia nell'oscurità e nella tragedia.

«Quando era giovane e girava affamato per le strade di Calcutta sognando numeri e formule matematiche, conobbe un altro ragazzo della stessa età, orfano e solo. A quell'epoca tuo padre viveva in povertà e, come tantissimi bambini di questa città, cadde vittima delle febbri che ogni anno stroncavano migliaia di vite. Durante la stagione delle piogge, il monsone scaricava con forza le sue tormente sulla regione del Bengala e in tutto il delta del Gange si verificava una piena che inondava il paese. Anno dopo anno, il lago salato che ancora oggi si trova a est della città tracimava; finite le piogge e calato di nuovo il livello delle acque, i pesci morti esposti al sole producevano una nube di vapori tossici che, trascinati dai venti che soffiavano dalle montagne del nord, spazzavano la città e seminavano morte e malattia come una piaga infernale.

«Quell'anno tuo padre fu vittima dei venti letali e probabilmente non si sarebbe salvato, se non fosse stato per un compagno, Jawahal, che si prese cura di lui per venti giorni in una casupola di mattoni crudi e assi bruciacchiate sulla riva dell'Hooghly. Una volta guarito, giurò che avrebbe sempre protetto Jawahal e diviso con lui tutto ciò che il futuro gli avesse riservato, perché adesso la sua vita apparteneva anche a lui. Fu un giuramento tra ragazzini. Un patto di sangue e d'onore. Ma c'era una cosa che tuo padre non sapeva: Jawahal, quell'angelo salvatore di appena undici anni, aveva nelle vene un male ben più terribile di quello che era stato sul punto di stroncare lui. Una malattia che avrebbe cominciato a manifestarsi molto tempo dopo, dapprima in modo quasi impercettibile, poi con la fatalità di una condanna: la follia.

«Anni dopo, tuo padre venne a sapere che la madre di Jawahal si era data fuoco sotto gli occhi del figlio offrendosi in sacrificio alla dea Kali e che la nonna materna aveva finito i suoi giorni nella miserabile cella di un manicomio di Bombay. Non erano che gli anelli di una lunga catena di eventi che avevano trasformato la storia di quella famiglia in un sentiero di orrori e disgrazie. Ma tuo padre era un uomo forte, anche da ragazzo, e si prese la responsabilità di proteggere l'amico, qualunque fosse la sua terribile eredità.

«Fu tutto molto semplice fino a quando Jawahal, compiuti diciotto anni, uccise a sangue freddo un ricco commerciante del bazar che si era rifiutato di vendergli un medaglione, prendendosi gioco del suo aspetto e mettendo in dubbio la sua solvibilità. Tuo padre lo nascose in casa sua per mesi e mise a rischio la propria vita e il proprio futuro per proteggerlo dalla giustizia che lo cercava per tutta la città. Ci riuscì, ma quello era stato solo il primo passo. Un anno dopo, la notte del capodanno indù, Jawahal incendiò una casa dove vivevano una dozzina di anziani e poi si sedette in strada a guardare le fiamme finché le travi crollarono, trasformate in braci. Questa volta nemmeno gli stratagemmi di tuo padre riuscirono a salvarlo dalla legge.

«Ci fu un processo, lungo e terribile, e Jawahal venne condannato all'ergastolo per i suoi crimini. Tuo padre fece il possibile per aiutarlo, diede fondo ai suoi risparmi per pagare gli avvocati, mandargli vestiti puliti nella prigione in cui era rinchiuso e corrompere i suoi carcerieri perché non lo maltrattassero. L'unico ringraziamento che ricevette da Jawahal furono parole di odio. Lo accusò di averlo denunciato, abbandonato, e di aver tentato di liberarsi di lui. Gli rinfacciò di avere infranto il giuramento fatto anni prima e giurò di vendicarsi perché, come gli gridò furente dal banco degli imputati dopo la lettura della sentenza di condanna, metà della sua vita gli apparteneva.

«Tuo padre seppellì questo segreto nel più profondo del suo cuore e non volle mai che tua madre ne venisse a conoscenza. Gli anni cancellarono i segni esteriori di quel ricordo. Dopo le nozze e i primi anni di matrimonio e di successi per lui, quello sembrava soltanto un episodio sepolto in un passato lontano.

«Mi ricordo quando tua madre restò incinta. Tuo padre sembrava un'altra persona, uno sconosciuto. Comprò un cucciolo di cane da guardia e disse di volerlo addestrare per farne la migliore delle bambinaie per suo figlio, e non smetteva mai di parlare della casa che avrebbe costruito, dei progetti per il futuro, di un nuovo libro...

«Un mese dopo, il tenente Michael Peake, uno degli ex pretendenti di tua madre, bussò alla porta con una notizia che avrebbe seminato il terrore nelle loro vite: Jawahal aveva dato fuoco a un padiglione del carcere di massima sicurezza in cui era rinchiuso ed era fuggito, dopo aver scritto sui muri della cella, con il sangue del compagno sgozzato, la parola "vendetta".

«Peake si impegnò personalmente a trovare Jawahal e a proteggerli da qualunque minaccia. Passarono due mesi senza novità né indizi della sua presenza. Fino al giorno del compleanno di tuo padre.

«All'alba, consegnato da un mendicante, arrivò un pacchetto a suo nome. Conteneva un medaglione, il gioiello per il quale Jawahal aveva commesso il suo primo omicidio, e un biglietto. Spiegava che dopo averli spiati in segreto per diverse settimane e avere scoperto che tuo padre era diventato un uomo di successo con una splendida moglie, voleva fargli i migliori auguri e, magari, andarlo a trovare per, come diceva lui, dividere di nuovo come fratelli ciò che apparteneva a entrambi.

«I giorni successivi furono all'insegna del panico. Una delle sentinelle che Peake aveva messo a guardia della casa una notte fu trovata morta. Il cane di tua madre fu ritrovato in fondo al pozzo del cortile. E ogni notte, nell'impotenza di Peake e dei suoi uomini, sui muri della casa spuntavano nuove minacce scritte col sangue.

«Furono giorni difficili per tuo padre. Aveva appena completato la sua opera più importante, la stazione di Jheeter's Gate sulla riva orientale dell'Hooghly. Era una struttura d'acciaio impressionante e rivoluzionaria e costituiva il culmine del progetto lungamente sognato: realizzare in tutto il paese una rete ferroviaria che permettesse di sviluppare il commercio e modernizzare le province, per affrancarsi dalla dominazione britannica. Quella è sempre stata una delle sue ossessioni. Era in grado di parlarne con veemenza per ore intere, come se si trattasse di una missione divina che gli era stata affidata.

«L'inaugurazione ufficiale di Jheeter's Gate ebbe luogo alla fine di quella settimana e, per l'occasione, venne deciso di noleggiare simbolicamente un treno che avrebbe trasportato 360 bambini orfani alla loro nuova dimora nella parte orientale del paese. Erano figli degli strati sociali più colpiti dalla povertà, e il progetto di tuo padre significava per loro una nuova vita. Era un impegno nel quale si era gettato a capofitto sin dal primo giorno e che costituiva la grande speranza della sua vita.

«Tua madre insisté fino alla disperazione per poter assistere almeno per qualche ora alla cerimonia e gli assicurò che la protezione del tenente Peake e dei suoi uomini sarebbe stata sufficiente a garantirle la sicurezza.

«Quando tuo padre salì sul treno e mise in moto la locomotiva che doveva condurre i bambini alla loro nuova dimora, accadde qualcosa di imprevisto a cui nessuno era preparato. Il fuoco. Un terribile incendio si propagò ai diversi livelli della stazione e nei vagoni del treno, che entrò nel tunnel trasformato in un vero e proprio inferno viaggiante, una tomba di metallo incandescente per gli orfani che trasportava. Tuo padre morì quella sera nel vano tentativo di salvarli, mentre i suoi sogni svanivano per sempre tra le fiamme.

«Quando tua madre ricevette la notizia, fu sul punto di perderti. Ma la sorte, stanca di mandare disgrazie alla nostra famiglia, volle salvarti. Tre giorni dopo, quando mancava pochissimo al parto, Jawahal e i suoi uomini fecero irruzione in casa e portarono via tua madre, non prima di aver proclamato che la tragedia di Jheeter's Gate era stata opera loro.

«Il tenente Peake riuscì a sopravvivere e a inseguirli fin nelle viscere della stazione, un luogo ormai abbandonato e maledetto in cui nessuno era più entrato dopo la sera della tragedia. Jawahal lasciò un biglietto nel quale giurava che avrebbe ucciso tua madre e il bambino che stava per partorire. Ma c'era qualcosa che neanche lui aveva previsto. Non era un bambino. Erano due. Due gemelli. Un maschio e una femmina. Voi due...»

Aryami Bose continuò a raccontare il resto della storia: come Peake era riuscito a salvarli e a portarli a casa sua, come lei aveva deciso di separarli e nasconderli all'assassino dei loro genitori... Ma ormai né Sheere né Ben l'ascoltavano più. Ian osservò in silenzio il volto bianco del suo migliore amico e quello di Sheere. Non battevano ciglio; le rivelazioni ascoltate dalle labbra dell'anziana donna sembravano averli trasformati in statue. Ian sospirò a fondo e desiderò di non essere stato lui il prescelto per assistere a quella strana riunione di famiglia. Si sentiva estremamente a disagio nell'interpretare il ruolo dell'intruso nel dramma dei suoi amici.

Ciò nonostante, Ian accantonò lo sgomento per quanto aveva scoperto e i suoi pensieri si concentrarono su Ben. Cercava di immaginare la tempesta interiore che la storia di Aryami doveva avere scatenato in lui e malediceva il modo brusco con cui la paura e la stanchezza avevano spinto la donna a svelare eventi la cui importanza andava probabilmente molto al di là delle apparenze. Si sforzò di distogliere per un attimo la mente da ciò che Ben aveva raccontato quella mattina della sua visione di un treno in fiamme. I tasselli di quel rompicapo si moltiplicavano a una velocità agghiacciante.

Non poteva dimenticare le decine di volte in cui Ben aveva affermato che i membri della Chowbar Society erano persone senza passato. Ian temeva che l'incontro dell'amico con il proprio passato nella penombra di quel casermone lo avrebbe straziato in modo irrimediabile. Si conoscevano fin da bambini e Ian sapeva delle lunghe e impenetrabili malinconie di Ben, di come fosse meglio assecondarle senza fare domande o cercare di leggere nei suoi pensieri. Per quel che sapeva dell'amico, la facciata altera e travolgente di cui era solito farsi scudo aveva incassato quel colpo come una pugnalata fatale, una ferita della quale lo stesso Ben non avrebbe mai più voluto parlare.

Ian posò delicatamente la mano sulla spalla di Ben, ma lui non parve notarlo.

Ben e Sheere, che solo qualche ora prima si erano sentiti uniti da un crescente legame di simpatia e di affetto, sembravano adesso incapaci di guardarsi, come se le nuove carte distribuite nella partita li avessero resi coscienti di uno strano pudore, o dell'elementare timore di scambiarsi anche un semplice gesto.

Aryami guardò Ian, inquieta. Nella stanza regnava il silenzio. Gli occhi dell'anziana sembravano supplicare perdono, il perdono del messaggero di cattive notizie. Ian chinò la testa leggermente, facendo segno ad Aryami di uscire insieme a lui dalla stanza. La donna esitò qualche istante, e il ragazzo si alzò offrendole la mano. Lei accettò il suo aiuto e lo seguì nella stanza vicina, lasciando Ben e Sheere da soli. Ian si fermò sulla soglia e si voltò a guardare l'amico.

«Siamo qui fuori» mormorò.

Ben, senza alzare lo sguardo, annuì.

I membri della Chowbar Society si stavano squagliando al caldo soffocante del cortile quando si accorsero che Ian era appena uscito dal portone della casa accompagnato dall'anziana donna. I due scambiarono qualche parola. Aryami annuì debolmente e cercò riparo all'ombra di una vecchia tettoia di pietra. Ian, con un aspetto terreo e severo, che i suoi compagni interpretarono come presagio di brutte notizie, si avvicinò al gruppo e si accomodò nello spazio che gli altri gli lasciarono. I loro sguardi si avventarono su di lui come mosche sul miele. Aryami li osservava a pochi metri di distanza, afflitta.

«E allora?» chiese Isobel, dando voce al pensiero generale dell'assemblea.

«Non so da dove cominciare» rispose Ian.

«Comincia dalla parte peggiore» suggerì Seth.

«È tutta una parte peggiore» ribatté Ian.

Gli altri rimasero in silenzio. Ian guardò i compagni e fece un mezzo sorriso.

«Hai dieci orecchie che ti ascoltano» disse Isobel.

Alla fine Ian ripeté quanto Aryami aveva appena rivelato, senza omettere alcun dettaglio e lasciando alla fine del suo racconto un epilogo dedicato a Ben e Sheere, che erano rimasti da soli in casa, e alla terribile spada che, come avevano appena scoperto, pendeva sulle loro teste.

Quando ebbe finito, il plenum della Chowbar Society aveva ormai dimenticato il caldo soffocante che calava dal cielo come un castigo infernale.

«Ben come l'ha presa?» chiese Roshan.

Ian si strinse nelle spalle e aggrottò la fronte.

«Non tanto bene, immagino» azzardò. «Tu come l'avresti presa?»

«E adesso cosa facciamo?» chiese Siraj.

«Cosa possiamo fare?» ribadì Ian.

«Molto» tagliò corto Isobel. «Qualsiasi cosa tranne lasciar friggere il nostro sedere al sole mentre un assassino tenta di eliminare Ben. E Sheere.»

«Qualcuno si oppone?» domandò Seth.

Tutti negarono all'unisono.

«Bene, colonnello» disse Ian rivolgendosi direttamente a Isobel. «Quali sono i suoi ordini?»

«In primo luogo, qualcuno dovrebbe verificare tutto il possibile sulla storia dell'incidente a Jheeter's Gate e sull'ingegnere» spiegò Isobel.

«Posso farlo io» si offrì Seth. «Devono esserci ritagli dei giornali dell'epoca nella biblioteca del Museo indiano. E probabilmente anche qualche libro.»

«Seth ha ragione» disse Siraj. «L'incendio di Jheeter's Gate è stato un evento epocale. Molta gente lo ricorda ancora. Ci sarà una documentazione al riguardo. Dio solo sa dove, ma deve esserci.»

«Bisognerà cercarla» puntualizzò Isobel. «Può essere un punto di partenza.»

«Io lo aiuterò» aggiunse Michael.

Isobel assentì con fermezza.

«Vogliamo sapere tutto su quell'uomo, sulla sua vita e su quella meravigliosa casa che si suppone debba essere in qualche posto non lontano da qui» disse. «Probabilmente le sue tracce ci porteranno all'assassino.»

«Noi cercheremo la casa» intervenne Siraj indicando se stesso e Roshan.

«Se esiste, è nostra» aggiunse Roshan.

«D'accordo, ma non dovete entrarci» avvertì Isobel.

«Non c'è problema» la tranquillizzò Roshan mostrando le mani aperte.

«E io? Cosa dovrei fare?» chiese Ian, al quale non veniva in testa così facilmente come ai compagni qualche incarico adatto alle proprie capacità.

«Tu resta con Ben e Sheere» disse Isobel. «Per quel che ne sappiamo, prima ancora di rendercene conto, Ben comincerà ad avere idee sconclusionate ogni dieci minuti. Stagli vicino e stai attento che non faccia qualche pazzia. Non è una buona idea che se ne vada in giro insieme a Sheere.»

Ian annuì, consapevole che il suo incarico era il più difficile tra quelli ripartiti da Isobel.

«Ci vediamo al Palazzo della Mezzanotte prima del tramonto» concluse Isobel. «Qualcuno ha ancora dei dubbi?»

I ragazzi si guardarono e fecero ripetutamente segno di no.

«Bene, in marcia» disse Isobel.

Seth, Michael, Roshan e Siraj partirono senza ulteriori indugi. Isobel restò accanto a Ian, guardandoli andare via in silenzio, immersi nell'aria tremolante che saliva dalle strade polverose riarse dal sole.

«E tu cosa pensi di fare, Isobel?» domandò Ian.

La ragazza si voltò verso di lui e gli sorrise in modo enigmatico.

«Ho un'intuizione» disse.

«Temo le tue intuizioni almeno quanto un terremoto» replicò Ian. «Cosa stai tramando?»

«Non devi preoccuparti» mormorò lei.

«Quando dici così, mi preoccupo ancora di più» rispose Ian.

«Forse stasera al tramonto non ci sarò, al Palazzo» spiegò Isobel. «Se non sono ancora tornata, fai quello che devi fare. Tu sai sempre qual è la cosa giusta, Ian.»

Il ragazzo sospirò, inquieto. Non gli piaceva tutto quel mistero né la strana luce che notava negli occhi dell'amica.

«Isobel, guardami» ordinò. Lei gli obbedì. «Qualunque cosa tu stia pensando, toglitela dalla testa.»

«So badare a me stessa» rispose lei, sorridente.

Le labbra di Ian, invece, non furono capaci di emulare quelle della ragazza.

«Non fare niente che non farei anch'io» supplicò.

Isobel rise.

«Farò solo una cosa che tu non avresti mai il coraggio di fare» mormorò.

Ian la guardò perplesso, senza capire. Poi Isobel, senza cancellare dallo sguardo quel lampo enigmatico, gli si avvicinò e lo baciò delicatamente sulle labbra, sfiorandole appena.

«Abbi cura di te, Ian» gli sussurrò all'orecchio. «E non farti illusioni.»

Era la prima volta che Isobel lo baciava e, vedendola allontanarsi tra la vegetazione del cortile, Ian non riuscì a scacciare dalla mente un improvviso e inspiegabile timore che fosse anche l'ultima.

Trascorsa quasi un'ora, Ben e Sheere riemersero alla luce del sole con aria impenetrabile e mostrando una strana calma. Sheere si avvicinò ad Aryami, che era rimasta per tutto quel tempo da sola sotto la tettoia, indifferente ai tentativi di dialogo di Ian, e si sedette accanto a lei. Ben s'incamminò direttamente verso Ian.

«Dove sono gli altri?» domandò.

«Abbiamo pensato che sarebbe stato utile fare qualche verifica su quell'individuo, Jawahal» rispose Ian.

«E tu sei rimasto a farmi da balia?» scherzò Ben, anche se il suo tono apparentemente scherzoso non ingannava nessuno dei due.

«Più o meno. Tu stai bene?» rispose Ian, indicando Sheere con la testa.

Ben fece segno di sì.

«Confuso, immagino» disse dopo un po'. «Odio le sorprese.»

«Secondo Isobel non è una buona idea che tu e

Sheere ve ne andiate in giro insieme. Credo che abbia ragione.»

«Isobel ha sempre ragione, tranne quando discute con me» disse Ben. «Ma penso che neanche questo sia un posto sicuro per noi. Anche se è stata chiusa per più di quindici anni, è sempre la casa di famiglia. E nemmeno il St Patrick's è sicuro, chiaro.»

«Credo che la cosa migliore sia andare al Palazzo della Mezzanotte e aspettare gli altri» suggerì Ian.

«È questo il piano di Isobel?» sorrise Ben.

«Indovina…»

«Lei dove è andata?»

«Non ha voluto dirmelo.»

«Uno dei suoi presentimenti?» chiese Ben, allarmato.

Ian annuì e l'amico sospirò abbattuto.

«Che Dio ci aiuti» disse Ben, dandogli una pacca sulla spalla. «Vado a parlare con le signore.»

Ian si voltò a guardare Sheere e Aryami Bose. La donna anziana sembrava discutere animatamente con la nipote. Ian e Ben si scambiarono un'occhiata.

«Immagino che la signora non rinuncerà facilmente al suo progetto di partire domani per Bombay» commentò Ben.

«Andrai con loro?»

«Non ho intenzione di lasciare questa città. E tantomeno adesso.»

I due amici osservarono per un paio di minuti come si sviluppava la discussione tra nonna e nipote, e alla fine Ben si diresse verso di loro.

«Aspettami qui» mormorò lentamente.

Aryami Bose rientrò in casa e lasciò soli Ben e Sheere sulla soglia. La ragazza aveva il volto infiammato dall'ira e Ben attese che fosse lei a scegliere il momento per cominciare a parlare. Quando lo fece, la voce le tremava di rabbia e di impotenza e le sue mani si stringevano in un nodo teso e ferreo.

«Dice che partiremo domani e che non vuole più riparlare della questione» spiegò Sheere. «Dice anche che dovresti venire con noi, ma che non può costringerti.»

«Immagino che la consideri la cosa migliore per te» rilevò Ben.

«Tu non lo credi?»

«Sarei un bugiardo se ti dicessi di sì» ammise il ragazzo.

«Io ho passato la vita intera a fuggire da un paese all'altro, in treno, in barca, su un carro, senza avere una casa, degli amici o un posto che potessi considerare mio» disse Sheere. «Sono stanca, Ben. Non posso continuare a fuggire tutta la vita da qualcuno che neanche conosco.»

I due fratelli si guardarono in silenzio.

«È anziana, Ben. Ha paura perché la sua vita sta finendo e si sente incapace di proteggerci ancora per molto tempo» aggiunse la ragazza. «So che lo fa con il cuore, ma fuggire non serve più a niente. A cosa servirebbe prendere il treno per Bombay domani? A dover scendere in una stazione qualunque con un altro nome? A mendicare un tetto in un paese qualsiasi sapendo che il giorno dopo dovremmo scappare di nuovo?»

«L'hai detto ad Aryami?» chiese Ben.

«Non vuole ascoltarmi. Però stavolta non ho più intenzione di fuggire. Questa è casa mia, questa è la città di mio padre ed è qui che penso di restare. E se quell'uomo verrà a cercarmi, lo affronterò. Se deve ammazzarmi, faccia pure. Ma se invece devo vivere, non sono disposta a farlo come una fuggiasca che ringrazia Dio ogni giorno perché ha potuto vedere il sole. Mi aiuterai, Ben?»

«Certo» rispose il ragazzo.

Sheere lo abbracciò e si asciugò gli occhi con un lembo del manto bianco che indossava.

«Lo sai, Ben? Ieri notte, con i tuoi amici in quella casa abbandonata, il vostro Palazzo della Mezzanotte, mentre vi raccontavo la mia storia, pensavo che non ho mai potuto essere una bambina come le altre. Sono cresciuta in mezzo ai vecchi, tra paure e menzogne, con mendicanti e viaggiatori come unica compagnia. Mi sono ricordata che inventavo amici invisibili e parlavo con loro per ore nelle sale d'attesa delle stazioni o sui carri. Gli adulti mi guardavano e sorridevano. Ai loro occhi, una bambina che parlava da sola era una visione incantevole. Invece non lo è, Ben. Non è incantevole essere soli, né da bambini né da vecchi. Per anni mi sono chiesta com'erano gli altri bambini, se avevano i miei stessi incubi, se si sentivano infelici come me. Chi dice che l'infanzia è l'età più felice della vita è un bugiardo o uno stupido.»

Ben guardò la sorella e le sorrise.

«O tutte e due le cose» scherzò. «Di solito vanno di pari passo.»

Sheere arrossì.

«Mi dispiace» disse. «Parlo troppo, vero?»

«No» negò lui. «Mi piace ascoltarti. E poi, credo che abbiamo in comune più cose di quanto tu pensi.»

«Siamo fratelli» rise la ragazza, nervosa. «Ti sembra poco? Gemelli! Suona così strano!»

«Be', come si dice, gli amici li puoi scegliere» scherzò Ben. «La famiglia te la prendi così com'è.»

«Allora preferisco che tu sia mio amico» disse Sheere.

Ian si avvicinò ai due fratelli e vide con sollievo che sembravano di buon umore e si permettevano perfino il lusso di scambiarsi qualche battuta, il che, data la situazione, non era poco.

«Se è questo che vuoi... Ian, questa signora vuole essere mia amica...»

«Non te lo consiglio» disse Ian, reggendogli il gioco. «Sono suo amico da anni e guarda come sono ridotto. Avete preso una decisione?»

Ben annuì.

«È quella che immagino?» domandò Ian.

Ben annuì di nuovo e stavolta anche Sheere si unì al suo gesto affermativo.

«Cosa avete deciso?» chiese la voce amara di Aryami Bose alle loro spalle.

I tre ragazzi si voltarono e scoprirono la sagoma dell'anziana, immobile nell'ombra dietro la soglia. Un silenzio teso calò su di loro.

«Non prenderemo quel treno domattina, nonna» rispose serena Sheere. «Né io né Ben.»

Gli occhi dell'anziana li squadrarono a uno a uno, fulminandoli.

«Le parole di due mocciosi incoscienti ti hanno fatto dimenticare in pochi minuti tutto quello che ti ho insegnato per anni?» le rinfacciò Aryami.

«No, nonna. È una decisione mia. E niente al mondo me la farà cambiare.»

«Tu farai quello che dico io» tagliò corto la donna, anche se l'odore della sconfitta impregnava ogni sua parola.

«Signora…» iniziò Ian con cortesia.

«Stai zitto, figliolo» sbottò Aryami con rinnovata freddezza.

Ian represse il desiderio di replicare e abbassò lo sguardo.

«Nonna, io non prenderò quel treno» disse Sheere. «E tu lo sai.»

Aryami fissò la nipote dal suo rifugio nell'ombra, senza pronunciare una sola parola.

«Vi aspetto all'alba alla stazione di Howrah» disse alla fine.

Sheere sospirò e Ben notò che il viso della ragazza si infiammava di nuovo. La prese per un braccio e le fece segno di non continuare la discussione. La donna si voltò e lentamente i suoi passi si persero all'interno della casa.

«Non posso lasciarla così» mormorò Sheere.

Ben annuì e si staccò dal braccio della sorella, che la seguì fino alla sala, dove la donna si era seduta davanti alla luce delle candele. Aryami non si voltò e rimase immobile, ignorando la presenza della nipote. Sheere le si avvicinò e l'abbracciò dolcemente.

«Qualunque cosa accada, nonna» disse, «io ti voglio bene.»

Aryami approvò in silenzio e mentre le spuntavano le lacrime ascoltò i passi della ragazza allontanarsi verso il cortile. Fuori, Ben e Ian aspettarono il ritorno di Sheere e l'accolsero con l'espressione più ottimista che riuscirono a mettere insieme.

«E adesso dove andiamo?» chiese Sheere, con gli occhi velati dalle lacrime e le mani che tremavano.

«Nel posto migliore di Calcutta» rispose Ben. «Il Palazzo della Mezzanotte.»

Le ultime luci del pomeriggio cominciavano a impallidire quando Isobel intravide la struttura spettrale e spigolosa della vecchia stazione di Jheeter's Gate emergere dalle nebbie del fiume, come il miraggio di una sinistra cattedrale divorata dalle fiamme. La ragazza trattenne il respiro e si fermò a contemplare la raggelante visione della fitta intelaiatura costituita da centinaia di travi d'acciaio, archi e volte sovrapposte, in un labirinto insondabile di metallo e vetro scheggiato dal fuoco. Un antico ponte in rovina e totalmente in disuso attraversava il fiume raggiungendo sull'altra sponda il porticato della stazione, aperto come le nere fauci di un drago immobile e in attesa, le cui infinite file di denti lunghi e affilati svanivano nelle tenebre dell'interno.

Isobel s'incamminò verso il ponte che conduceva a Jheeter's Gate ed evitò le vecchie rotaie che lo solcavano tracciando un binario morto diretto a quel mausoleo infernale. Le travi che formavano la struttura erano ormai marce e annerite, e in mezzo a loro avanzava la vegetazione selvatica. Lo scheletro arrugginito del ponte scricchiolava sotto i suoi piedi e la ragazza non tardò a notare la presenza di cartelli che proibivano il passaggio a causa del pericolo di crolli. Nessun treno aveva più attraversato il fiume su quel ponte e, a giudicare dal suo aspetto desolato e degradato, Isobel ipotizzò che nessuno l'avesse più riparato e nemmeno percorso a piedi.

Via via che si lasciava alle spalle la riva est di Calcutta e che il fantasmagorico rompicapo d'acciaio e di ombre di Jheeter's Gate si innalzava di fronte a lei sotto il manto scarlatto del crepuscolo, cominciò a considerare l'idea che forse il suo proposito di recarsi in quel luogo non fosse tanto sensato come aveva ritenuto in un primo momento. Una cosa era interpretare il ruolo dell'avventuriera indomita e risoluta di fronte alle avversità, e un'altra, assai diversa, immergersi in quello scenario impressionante senza conoscere neanche una pagina del terzo atto.

Le arrivò sul viso uno sbuffo di vapore impregnato di cenere e carbonella esalate a fiotti dai tunnel nascosti nelle viscere della stazione. Era un fetore acido e penetrante, un odore che senza motivo apparente Isobel associava a una vecchia fabbrica sepolta da gas letali, strati di ruggine e di sporcizia. Concentrò lo sguardo sulle prime luci lontane dei barconi che solcavano l'Hooghly e tentò di evocare la compagnia dei loro anonimi naviganti, mentre percorreva il tratto di ponte che le mancava per arrivare all'entrata della stazione. Quando raggiunse l'altra estremità, si fermò tra i binari che si addentravano nel buio e osservò il grande frontone di acciaio. In alto, offuscate dalle macchie lasciate dalle fiamme, si notavano ancora le lettere incise che annunciavano il nome della stazione; ricordava l'ingresso di un enorme monumento funebre: JHEETER'S GATE.

Isobel respirò a fondo e si preparò a fare ciò che meno aveva desiderato nei suoi sedici anni di vita: penetrare in quel luogo.

Seth e Michael sfoggiarono il loro beatifico sorriso da allievi modello sotto lo sguardo inquisitore di Mr De Rozio, capo bibliotecario della sezione principale del Museo indiano, e sopportarono la sua impietosa analisi per parecchi secondi.

«È la richiesta più assurda che abbia sentito in vita mia» sentenziò De Rozio. «Almeno dall'ultima volta che siete stati qui.»

«Vede, Mr De Rozio» improvvisò Seth, «sappiamo che la biblioteca è aperta solo di mattina e che la richiesta mia e del mio amico può sembrare un po' stravagante...»

«Venendo da te, giovanotto, niente è stravagante» lo interruppe De Rozio.

Seth trattenne un sorriso. In Mr De Rozio l'ironia che pretendeva di essere pungente era segno inequivocabile di debolezza e di interesse. Il suo nome di battesimo era ignorato dall'intera umanità, con le possibili eccezioni della madre e della moglie, ammesso che ci fosse in tutta l'India una donna con abbastanza fegato da sposare un simile individuo, simbolo di quanto possa essere variopinto il genere umano. Sotto l'aspetto da cerbero bibliofilo, De Rozio aveva un terribile tallone d'Achille: una curiosità e una propensione al pettegolezzo di livello accademico, che relegava le comari del bazar alla condizione di semplici dilettanti.

Seth e Michael si guardarono con la coda dell'occhio e decisero di vuotare il sacco.

«Mr De Rozio» cominciò Michael in tono melodrammatico, «non dovrei parlarne, ma mi vedo costretto a fare affidamento sulla sua ben nota discrezione: ci sono diversi delitti legati a questa storia e temiamo molto che possano verificarsene altri se non vi mettiamo subito riparo.»

Gli occhietti penetranti del bibliotecario sembrarono per un attimo ingrandirsi.

«Sei sicuro che Mr Thomas Carter sia al corrente di tutto questo?» indagò con tono severo.

«È stato lui a mandarci» rispose Seth.

De Rozio li osservò di nuovo, alla ricerca di qualche crepa nella loro espressione che rivelasse l'esistenza di torbidi intrallazzi.

«E il tuo amico» sbottò De Rozio indicando Michael «perché non parla mai?»

«È molto timido, signore» spiegò Seth.

Michael annuì debolmente, come se volesse confermare quell'esagerazione. De Rozio si schiarì la voce, perplesso.

«Dici che ci sono di mezzo dei delitti?» buttò lì con studiato disinteresse.

«Omicidi, signore» confermò Seth. «Parecchi.»

De Rozio guardò l'orologio e, dopo qualche secondo di riflessione in cui fissò alternativamente lo sguardo sui due ragazzi e sulle lancette, si strinse nelle spalle.

«Va bene» concesse. «Ma è l'ultima volta. Come si chiama l'uomo del quale volete notizie?»

«Lahawaj Chandra Chatterghee, signore» si affrettò a rispondere Seth.

«L'ingegnere?» chiese De Rozio. «Non era morto nell'incendio di Jheeter's Gate?»

«Sì, signore» spiegò Seth, «ma con lui c'era qualcuno che non è morto. Una persona molto pericolosa. La persona che ha provocato l'incendio. E che è ancora lì, pronta a commettere nuovi delitti...»

De Rozio sorrise con malizia.

«Sembra interessante» mormorò.

Improvvisamente, un'ombra di allarme assalì il bibliotecario. De Rozio inclinò la sua considerevole mole in direzione dei due ragazzi e puntò l'indice verso di loro con atteggiamento deciso.

«Non sarà mica tutta un'invenzione di quel vostro amico, eh?» incalzò. «Com'è che si chiama?»

«Ben non sa niente di questa storia, Mr De Rozio» lo tranquillizzò Seth. «Non lo vediamo da mesi.»

«Meglio così» sentenziò il bibliotecario. «Seguitemi.»

Isobel penetrò con passi timorosi all'interno della stazione e lasciò che le sue pupille si abituassero alle tenebre che vi regnavano. Sopra di lei, decine di metri più in alto, si apriva la volta principale, formata da lunghe arcate di vetro e acciaio. La maggior parte delle lastre di vetro era stata fusa dalle fiamme o era semplicemente esplosa, polverizzandosi in una pioggia di frammenti ardenti ricaduti su tutta la stazione. La luce del tramonto filtrava tra le fessure del metallo annerito e le schegge di vetro sopravvissute alla tragedia. I marciapiedi si perdevano nell'oscurità disegnando una dolce curva sotto la grande volta, mentre la loro superficie era ricoperta dai resti delle panchine bruciate e delle travi cadute dal soffitto.

Il grande orologio che un tempo era stato sistemato sulla banchina centrale come un faro all'imboccatura di un porto, si ergeva ora come una sentinella malinconica e muta. Isobel passò sotto il suo quadrante e notò che le lancette si erano piegate verso terra come se fossero state di gelatina. Adesso formavano lingue di cioccolato fuso che segnavano per sempre l'ora dell'orrore che aveva divorato la stazione.

Niente pareva essere cambiato in quel luogo, a parte le tracce di anni di sporcizia e l'effetto delle piogge che il manto torrenziale del monsone aveva fatto filtrare attraverso i lucernari e le crepe della volta.

Isobel si fermò al centro della grande stazione per contemplarla e le sembrò di trovarsi all'interno di un enorme tempio sommerso, infinito e insondabile.

Una nuova ventata d'aria calda e umida attraversò l'edificio e le scompigliò i capelli, trascinando allo stesso tempo piccoli grumi di sudiciume lungo le banchine. Isobel avvertì un brivido e scrutò le bocche scure dei tunnel che si addentravano nel sottosuolo alla fine della stazione. Avrebbe voluto avere vicino a sé gli altri membri della Chowbar Society adesso che gli eventi stavano prendendo una piega poco raccomandabile e fin troppo simile alle storie che Ben si divertiva a inventare durante le loro serate al Palazzo della Mezzanotte. Isobel si frugò in tasca e tirò fuori il disegno di Michael che raffigurava tutti i membri della loro società, in posa davanti a uno stagno in cui si riflettevano i loro volti. Sorrise vedendosi ritratta dalla matita di Michael e si chiese se lui la vedesse proprio così. Le mancavano, tutti.

Fu allora che lo sentì per la prima volta, distante e sepolto dal mormorio delle correnti d'aria che attraversavano quei tunnel. Era il suono di voci lontane, simile al frastuono di una moltitudine, come quello che ricordava di aver sentito quando si era immersa nell'Hooghly, anni prima, il giorno in cui Ben le aveva insegnato a nuotare sott'acqua. Stavolta, però, Isobel ebbe la certezza che non fossero le voci dei pellegrini quelle che sembravano avvicinarsi dalla profondità dei tunnel. Erano voci di bambini, centinaia di bambini. E urlavano di terrore.

De Rozio accarezzò con precisione le tre pieghe sovrapposte che formavano la sua regale pappagorgia ed esaminò di nuovo la pila di documenti, ritagli di giornale e carte inclassificabili che aveva messo insieme con una serie di spedizioni nel ventre dell'alessandrina biblioteca del Museo indiano. Seth e Michael lo aspettavano ansiosi ed eccitati.

«Bene» iniziò il bibliotecario. «Questa storia è più complicata di quanto sembri. Ci sono molte informazioni su Lahawaj Chandra Chatterghee, sotto diverse voci. La maggior parte della documentazione che ho visto sembra ripetitiva e di scarso significato, ma mi ci vorrebbe almeno una settimana per mettere un po' d'ordine tra le carte di quell'individuo.»

«Cosa ha trovato, signore?» chiese Seth.

«Di tutto un po', a dire il vero» spiegò De Rozio. «Mr Chandra era un brillante ingegnere un po' in anticipo sui suoi tempi, idealista e ossessionato dall'idea di lasciare a questo paese un'eredità che compensasse i poveri per le disgrazie che attribuiva al dominio e allo sfruttamento britannico. Non molto originale, francamente. In sintesi: aveva tutti i requisiti per diventare un autentico infelice. E tuttavia, pare che sia riuscito a evitare il mare di invidie, complotti e manovre per stroncare la sua carriera, tanto da convincere il governo a finanziare il suo grande sogno: la costruzione di una linea ferroviaria che avrebbe unito le principali capitali della nazione al resto del continente. Chandra credeva che, in questo modo, il monopolio commerciale e politico iniziato ai tempi di Lord Clive e della Compagnia, con il traffico fluviale e marittimo, avrebbe avuto i giorni contati e che gli abitanti dell'India avrebbero ripreso il controllo delle ricchezze del paese. In realtà, non c'era bisogno di essere ingegnere per capire che non sarebbe andata così.»

«C'è qualcosa su un certo Jawahal?» domandò Seth. «Era un amico di gioventù dell'ingegnere. Contro di lui furono celebrati diversi processi. Casi di grande risonanza, credo.»

«Deve essere da qualche parte, figliolo, ma qui c'è una montagna di documenti ancora da classificare. Perché non tornate fra un paio di settimane? Allora avrò avuto la possibilità di mettere un po' di ordine in questa confusione.»

«Non possiamo aspettare due settimane, signore» disse Michael.

De Rozio osservò sorpreso il ragazzo.

«Una settimana?» chiese.

«Signore» rispose Michael, «è una questione di vita o di morte. Due persone sono in pericolo.»

Il bibliotecario scrutò lo sguardo intenso del ragazzo e annuì, un po' confuso. Seth non lasciò passare nemmeno un secondo.

«L'aiuteremo noi a cercare e classificare le informazioni, signore» si offrì.

«Voi?» domandò. «Non saprei… E quando?»

«Immediatamente» replicò Michael.

«Conoscete il codice di catalogazione degli schedari della biblioteca?» li interrogò De Rozio.

«Come le nostre tasche» mentì Seth.

Il sole sprofondò come una grande sfera sanguinante dietro le vetrate distrutte della fiancata occidentale di Jheeter's Gate e in pochi secondi Isobel si trovò ad assistere all'ipnotico spettacolo di centinaia di lame orizzontali di luce scarlatta che perforavano la penombra della stazione. Il suono di quelle voci urlanti andava crescendo e ben presto Isobel ne sentì rimbombare l'eco nella grande volta. Il pavimento cominciò a vibrarle sotto i piedi e la ragazza vide alcune schegge di vetro cadere giù dal tetto. Sentì una fitta all'avambraccio sinistro e si portò la mano sul punto dove aveva ricevuto il colpo. Il suo sangue tiepido le scivolò tra le dita. Corse verso il fondo della stazione proteggendosi il volto con le mani.

Una volta al riparo di una scalinata che saliva ai livelli superiori, scoprì davanti a sé un'ampia sala d'attesa i cui sedili di legno bruciacchiato giacevano divelti sul pavimento. Le pareti erano ricoperte da strane pitture tracciate rozzamente con le mani, figure che sembravano voler rappresentare forme umane deturpate e demoniache con lunghi artigli da lupo e gli occhi fuori dalle orbite. Adesso la vibrazione sotto i suoi piedi era molto intensa e Isobel si avvicinò all'ingresso del tunnel. Un violento sbuffo di aria calda le bruciò il viso e fu costretta a sfregarsi gli occhi, incapace di credere a ciò che stava vedendo.

Una locomotiva di luce avvolta dalle fiamme sbucava dalla profondità del tunnel e sputava con furia cerchi di fuoco che lo percorrevano come palle di cannone, per poi esplodere in anelli di gas incandescente. Isobel si gettò a terra e il treno infuocato attraversò la stazione nel fragore assordante del metallo contro il metallo e in quello delle urla di centinaia di bambini imprigionati tra le fiamme. Restò distesa, con gli occhi chiusi, paralizzata dal terrore, fino a che il rumore del convoglio svanì nell'aria.

Alzò la testa e si guardò intorno. La stazione era deserta e coperta da una nube di vapore che saliva lentamente e si accendeva del rosso intenso delle ultime luci del giorno. Davanti a lei, a pochi centimetri di distanza, si estendeva una pozzanghera di una sostanza scura e viscosa che brillava al chiarore del crepuscolo. Per un attimo, la ragazza credette di vedere sulla sua superficie il riflesso del volto luminoso e triste di una donna avvolta dalla luce che la chiamava. Allungò una mano verso di lei e immerse i polpastrelli in quel fluido denso e caldo. Sangue. Ritirò repentinamente la mano e si pulì le dita sul vestito, mentre la visione di quel volto spettrale svaniva. Ansimando, si trascinò verso il muro e vi si appoggiò per riprendere fiato.

Un minuto dopo, Isobel si rialzò ed esaminò la situazione. Le luci dell'imbrunire si stavano spegnendo e ben presto sarebbe scesa la notte. In quel preciso istante aveva un solo pensiero chiaro in testa: non voleva aspettare il buio all'interno di Jheeter's Gate. Si diresse nervosamente verso il porticato dell'uscita e soltanto allora notò una figura spettrale che avanzava verso di lei nella nebbiolina che ricopriva le banchine. La figura sollevò una mano e Isobel vide che le dita prendevano fuoco, illuminandole il cammino. In quel momento capì che non sarebbe uscita di lì tanto facilmente come era entrata.

Attraverso il tetto crollato del Palazzo della Mezzanotte si poteva ammirare il cielo notturno trapunto di stelle, un mare infinito di piccole candele bianche. Il tramonto aveva portato via con sé parte del caldo soffocante che aveva castigato la città fin dall'alba, ma la timida brezza che accarezzava le strade della *città nera* era appena un sospiro tiepido e impregnato dell'umidità notturna esalata dal fiume Hooghly.

Mentre aspettavano l'arrivo degli altri membri della Chowbar Society, Ian, Ben e Sheere ammazzavano il tempo languidamente, tra le rovine del vecchio casermone, ognuno perso nei propri pensieri.

Ben aveva scelto di arrampicarsi sul suo rifugio preferito, una trave nuda che attraversava in orizzontale il frontone anteriore del Palazzo. Seduto proprio al centro esatto della trave, le gambe penzoloni, Ben saliva spesso sul suo solitario punto di osservazione per contemplare le luci della città, le sagome dei palazzi e i cimiteri che fiancheggiavano il sinuoso corso dell'Hooghly attraverso Calcutta. Rimaneva lassù per ore, senza parlare o prendersi il disturbo di rivolgere lo sguardo verso terra neppure per un secondo. I membri della Chowbar Society rispettavano quell'abitudine, una fra le tante nella singolare collezione di stranezze con cui Ben vivacizzava la propria condotta, e avevano imparato a convivere con le prolungate malinconie che immancabilmente si associavano alla sua discesa dall'alto dei cieli.

Ian osservò di sottecchi l'amico dal cortile del Palazzo e decise di lasciarlo lì a godersi uno dei suoi ultimi ritiri spirituali; lui, nel frattempo, tornò all'occupazione che lo aveva impegnato con Sheere nell'ultima ora: cercare di spiegarle i rudimenti degli scacchi con una scacchiera che la Chowbar Society teneva nella sua sede centrale. I pezzi erano riservati ai campionati annuali che si svolgevano a dicembre e che, invariabilmente, erano vinti da Isobel, la quale faceva sfoggio di una tale superiorità da risultare quasi insultante.

«Ci sono due teorie sulla strategia degli scacchi» spiegò Ian. «In realtà ce ne sono migliaia, ma solo un paio contano davvero. La prima dice che la chiave del gioco sta nella seconda fila di pezzi: re, cavallo, torre, regina, eccetera... In base a questa teoria, i pedoni non sono altro che pedine da sacrificare mentre si sviluppa la tattica. La seconda teoria, invece, afferma che i pedoni possono e devono essere la più letale arma di attacco e che una strategia intelligente deve usarli in questo modo se vuole risultare vincente. Io, a dire il vero, non sono molto convinto di nessuna delle due, mentre Isobel difende accanitamente la seconda.»

La menzione della sua compagna gli riportò alla mente l'inquietudine di non sapere dove si trovasse. Sheere si accorse della sua espressione sperduta e lo distrasse con un'altra domanda sul gioco.

«Qual è la differenza fra tattica e strategia? È una questione puramente tecnica?»

Ian considerò la questione posta da Sheere ed ebbe il sospetto di non avere la risposta.

«È una differenza letteraria, non reale» affermò dall'alto la voce di Ben. «La tattica è l'insieme dei piccoli passi che fai per arrivare in un punto. La strategia sono i passi che fai quando non hai più nessun posto dove andare.»

Sheere alzò lo sguardo e gli sorrise.

«Giochi anche tu a scacchi?» chiese.

Ben non rispose.

«Ben detesta gli scacchi» spiegò Ian. «Secondo lui, è il secondo modo più inutile di sprecare l'intelligenza umana.»

«E qual è il primo?» domandò Sheere, divertita.

«La filosofia» rispose Ben dalla sua torre di vedetta.

«*Ben dixit*» sentenziò Ian. «Perché non scendi, adesso? Gli altri staranno per arrivare.»

«Aspetto qui» disse lui, tornando nel suo angoletto tra le nuvole.

Non scese se non mezz'ora più tardi, quando Ian era concentrato sulla spiegazione del salto del cavallo e Roshan e Siraj spuntarono sulla soglia del cortile del Palazzo della Mezzanotte. Poco dopo apparvero anche Seth e Michael e tutti si riunirono in cerchio alla luce di un piccolo falò improvvisato da Ian con gli ultimi resti di legna secca custoditi in un magazzino coperto e protetto dalle piogge, sul retro del Palazzo. Davanti al fuoco, i volti dei sette ragazzi acquistarono un colorito ramato mentre Ben faceva passare una bottiglia d'acqua che, se non era fresca, almeno non era portatrice di febbri letali.

«Non aspettiamo Isobel?» chiese Siraj, visibilmente inquieto per l'assenza dell'oggetto della sua infatuazione unidirezionale.

«Forse non verrà» disse Ian.

Lo guardarono tutti, perplessi. Ian raccontò in breve la sua conversazione con Isobel quello stesso pomeriggio e notò che le facce degli amici cominciavano a scurirsi. Quando ebbe finito, ricordò a tutti che Isobel aveva raccomandato di mettere in comune, con o senza la sua presenza, tutto ciò che fossero riusciti a verificare e passò la parola al primo che volesse prenderla.

«Va bene» disse Siraj, nervoso. «Vi spiegherò quello che abbiamo scoperto noi e un attimo dopo mi metterò a cercare Isobel. Solo a quella testona poteva venire in mente di andarsene in giro in una notte così, da sola e senza dire dove era diretta. Come hai potuto lasciarla andare, Ian?»

Roshan venne in aiuto di Ian e appoggiò la mano sulla spalla di Siraj.

«Con Isobel non si discute» ricordò. «Si ascolta. Racconta la storia del geroglifico e poi andiamo tutti e due a cercarla.»

«Geroglifico?» chiese Sheere.

Roshan annuì.

«Abbiamo trovato la casa, Sheere» spiegò Siraj. «O meglio, sappiamo dove si trova.»

Il viso di Sheere si illuminò improvvisamente e il cuore prese a batterle forte. I ragazzi si avvicinarono al fuoco e Siraj tirò fuori un foglio di carta sul quale erano copiati alcuni versi nella inconfondibile calligrafia di quel gracile ragazzo.

«E questa cos'è?» domandò Seth.

«Una poesia» rispose Siraj.

«Leggila» disse Roshan.

La città che amo è oscura e profonda
casa di miserie, dimora di spiriti maledetti. Vive
                              nel crepuscolo,
all'ombra di malvagità e glorie dimenticate. Vive
della ricchezza venduta e anime in pena. È una
torre issata sull'inferno incerto del nostro destino,

del sortilegio di una condanna scritta col sangue
gran ballo di inganni e di infamie,
bazar della mia tristezza...

Dopo la lettura i sette ragazzi restarono in silenzio e per un secondo soltanto il crepitio del fuoco e la voce lontana della città sibilarono nel vento.

«Conosco questi versi» mormorò Sheere. «Appartengono a uno dei libri di mio padre. Sono alla fine del mio racconto favorito, la storia delle lacrime di Shiva.»

«Esatto» confermò Siraj. «Abbiamo passato tutto il pomeriggio all'Istituto bengalese dell'industria. È un palazzo incredibile, quasi in rovina, con piani e piani di archivi e stanzoni sepolti da polvere e immondizia. È pieno di topi e sono sicuro che, se ci andassimo di notte, riusciremmo a scoprire che c'è nascosto qualcosa...»

«Limitiamoci all'essenziale, Siraj» tagliò corto Ben. «Per favore.»

«D'accordo» convenne Siraj, rimandando a un altro momento il suo entusiasmo per quel luogo misterioso. «In sintesi, dopo ore di ricerche (che non racconterò, vista l'aria che tira) abbiamo trovato un fascicolo di documenti appartenuti a tuo padre che l'Istituto custodiva dal 1916, anno dell'incidente di Jheeter's Gate. Tra questi c'era un libro autografato da lui e, anche se non ci hanno permesso di portarlo via, abbiamo potuto esaminarlo. E siamo stati fortunati.»

«Non vedo il perché» obiettò Ben.

«Tu dovresti essere il primo a capirlo. Accanto

alla poesia, qualcuno, immagino il padre di Shee-re, ha disegnato a penna una casa» replicò Siraj con un sorriso misterioso mentre gli passava il foglio con i versi.

Ben li esaminò e scrollò le spalle.

«Non vedo altro che parole» disse.

«Stai perdendo colpi. Peccato che Isobel non sia qui...» scherzò Siraj. «Leggi di nuovo. Con attenzione.»

Ben seguì le istruzioni e aggrottò le sopracciglia.

«Mi arrendo. Questi versi non hanno un ordine o una struttura apparente. È solo prosa che sembra andare a capo a capriccio.»

«Esatto» confermò Siraj. «E qual è la norma di quegli a capo a capriccio? Detto in altro modo, perché spezza i versi proprio in quel punto, visto che potrebbe sceglierne un altro qualunque?»

«Per separare le parole?» azzardò Sheere.

«O per unirle...» mormorò Ben tra sé.

«Prendi la prima parola di ogni verso e costruisci una frase» suggerì Roshan.

Ben osservò di nuovo la poesia e guardò i compagni.

«Leggi solo la prima parola» lo invitò Siraj.

«"La casa all'ombra della torre del gran bazar"» lesse Ben.

«Esistono perlomeno sei bazar soltanto nella zona nord di Calcutta» segnalò Ian.

«Sì, ma quanti hanno una torre capace di proiettare un'ombra che arrivi fino alle case costruite intorno?» chiese Siraj.

«Non lo so» rispose Ian.

«Io sì» ribatté Siraj. «Ce ne sono due: il Syambazaar e il Machuabazaar, nella parte nord della *città nera*.»

«Anche così» osservò Ben, «l'ombra che una torre può disegnare durante il giorno si diffonderà in uno spettro di almeno 180 gradi, cambiando ogni minuto. Quella casa potrebbe trovarsi in un punto qualsiasi del nord di Calcutta, che equivale a dire in un qualsiasi punto dell'India.»

«Un momento» interruppe Sheere. «La poesia parla del crepuscolo. Dice testualmente "Vive nel crepuscolo".»

«L'avete verificato?» domandò Ben.

«Certo» rispose Roshan. «Siraj è andato al Syambazaar e io al Machuabazaar, pochi minuti prima che tramontasse il sole.»

«E allora?» incalzarono tutti.

«L'ombra della torre del Machuabazaar si perde in un vecchio magazzino abbandonato» spiegò Siraj.

«Roshan?» chiese Ian.

Il ragazzo sorrise, prese dal falò un bastone mezzo bruciato e tracciò la sagoma di una torre sui resti di cenere.

«Come la lancetta di un orologio, l'ombra della torre del Syambazaar finisce davanti a un'ampia cancellata metallica dietro la quale c'è un cortile fitto di palme e di vegetazione. Sopra le cime degli alberi si intravede la torretta di una casa.»

«È fantastico!» esclamò Sheere.

Ben, tuttavia, riuscì a cogliere l'espressione inquieta che sembrava essersi impadronita del viso dell'amico.

«Qual è il problema, Roshan?» domandò.

Roshan scosse lentamente la testa e si strinse nelle spalle.

«Non lo so» rispose. «In quella casa c'era qualcosa che non mi è piaciuto.»

«Hai visto qualcosa?» si informò Seth.

Roshan fece segno di no. Ian e Ben si guardarono, senza dire una parola.

«Non è venuto in mente a nessuno che questa potrebbe essere una trappola?» chiese Roshan.

Ian e Ben si scambiarono di nuovo uno sguardo tacito e annuirono. Stavano pensando entrambi la stessa cosa.

«Correremo il rischio» disse Ben, ammantando la sua voce di tutta la convinzione che fu capace di fingere.

Aryami Bose accese di nuovo il fiammifero e lo avvicinò all'estremità della candela di fronte a lei. La luce tremula della fiamma tinse di contorni incerti il salone oscuro mentre le sue mani tremanti la avvicinavano al cero. La candela si accese lentamente e un'aura di chiarore si sparse tutt'intorno. L'anziana donna soffiò sul fiammifero e il piccolo bastoncino di legno si spense emanando uno spettro di fumo azzurrognolo che salì piano verso la penombra. Il tocco leggero di una corrente d'aria le accarezzò i capelli sulla nuca e Aryami si voltò. Una ventata fredda e impregnata di un fetore acido e penetrante le agitò il vestito e spense la fiamma della candela. L'oscurità l'avvolse di nuovo e la donna sentì due colpi secchi alla porta di casa. Strinse i pugni e vide che i contorni della soglia lasciavano filtrare un tenue chiarore rossastro. I colpi si ripeterono, stavolta con più forza. Aryami avvertì un velo di sudore freddo che le affiorava dai pori.

«Sheere?» chiese debolmente.

Il suono della sua voce si perse in un'eco smorzata nel buio della casa. Non ottenne risposta e, pochi secondi dopo, i due colpi si ripeterono ancora.

Aryami tastò alla cieca sulla mensola sopra il camino nel quale i resti moribondi delle braci emettevano l'unico chiarore che le serviva da guida. Fece cadere diversi oggetti finché le sue dita non palparono il lungo fodero metallico del pugnale che teneva lì sopra. Estrasse l'arma e osservò lo scintillio dorato della lama che serpeggiava al chiarore delle braci. Un filo di luce si affacciò da sotto la porta di casa. Aryami inspirò a fondo e si diresse lentamente verso l'ingresso. Si fermò di fronte alla porta e sentì il suono del vento tra le foglie della vegetazione nel cortile esterno.

«Sheere?» sussurrò di nuovo, senza ottenere risposta.

Strinse con forza il manico del pugnale e, delicatamente, posò la mano sinistra sulla maniglia, facendola girare verso il basso. Il meccanismo arrugginito della serratura si svegliò tra gli scricchiolii dopo anni di letargo. La porta si aprì piano e il chiarore azzurrato del cielo notturno disegnò un ventaglio di luce all'interno della casa. Non c'era nessuno lì fuori. La vegetazione si agitava come un mare di centinaia di piccole foglie secche, emettendo un mormorio ipnotico. Aryami si affacciò lentamente per guardare ai due lati della porta, ma il cortile era deserto. Fu allora che le sue gambe si imbatterono in qualcosa e l'anziana donna abbassò lo sguardo, scoprendo ai suoi piedi una piccola cesta. Era coperta da un velo opaco che, però, permetteva di scorgere il chiarore che si sprigionava dall'interno. Aryami si inginocchiò e con delicatezza scostò il velo.

Dentro la cesta, trovò due piccole figure di cera che rappresentavano i corpi nudi di due neonati. Dalle loro teste spuntava uno stoppino acceso ed entrambe le effigi si fondevano come candele in un tempio. Aryami fu percorsa da un brivido. Spinse via la cesta e la fece rotolare giù per i gradini di pietra. Si rialzò e stava per rientrare quando si accorse che, dal lungo corridoio che conduceva all'altra estremità della casa, invisibili orme di fiamma avanzavano verso di lei. La donna sentì il pugnale sfuggirle dalle dita e sbatté la porta.

Scese i gradini in fretta e furia, senza avere il coraggio di dare le spalle alla casa, e inciampò nel cesto che pochi secondi prima aveva scagliato via. Crollata a terra, Aryami osservò a bocca aperta una lingua di fuoco emergere dalla soglia e incendiare il legno vecchio come fosse una pergamena. L'anziana donna si trascinò per qualche metro fin dove iniziava la vegetazione e si risollevò a fatica, mentre osservava impotente le fiamme che cominciavano a spuntare dalle finestre e avvolgevano la struttura in una stretta mortale.

Aryami corse in strada e non si fermò a guardare indietro fino a quando non si trovò a un centinaio di metri da quella che era stata la sua casa. Una pira di fuoco si innalzava verso il cielo, sputando con furia braci e cenere incandescente. A poco a poco, gli abitanti del quartiere, allarmati, cominciarono ad affacciarsi alle finestre e uscirono in strada, per guardare il grande incendio scoppiato in pochissimi secondi. Aryami sentì il rumore del tetto che collassava e cadeva in preda al fuoco. I volti delle persone accorse vennero illuminati con la forza di un lampo scarlatto mentre si scambiavano occhiate attonite senza capire cosa fosse accaduto.

Aryami Bose versò lacrime di amarezza per la casa della sua gioventù, la casa in cui aveva dato alla luce la figlia. Perdendosi nella confusione delle strade di Calcutta, le disse addio per sempre.

Seguendo le istruzioni del crittogramma decifrato da Siraj, determinare l'ubicazione esatta della casa non fu complicato. Secondo quelle indicazioni, opportunamente affiancate dalla ricognizione che Roshan aveva provveduto a effettuare, la dimora dell'ingegner Chandra Chatterghee era situata in una strada tranquilla che univa Jatindra Mohan Avenue e Acharya Profullya Road, all'incirca un miglio a nord del Palazzo della Mezzanotte.

Appena Siraj ebbe verificato che il frutto delle sue indagini era stato correttamente assimilato dai compagni, manifestò l'urgente desiderio di non perdere neanche un minuto e di partire alla ricerca di Isobel.

I tentativi che tutti fecero per tranquillizzarlo e i suggerimenti di attendere il sicuro ritorno della ragazza non sortirono alcun effetto e alla fine, mantenendo la promessa, Roshan si offrì di accompagnarlo. Partirono nella notte dopo essersi messi d'accordo per incontrarsi di nuovo nella casa dell'ingegner Chandra Chatterghee appena avessero avuto notizie di Isobel.

«E voi due cosa siete riusciti a scoprire?» domandò Ian rivolgendosi a Seth e Michael.

«Mi piacerebbe poter offrire risultati spettacolari come quelli di Siraj, ma la verità è che ci siamo trovati davanti a un'infinità di fili da riannodare» rispose Seth, e si mise a raccontare la loro visita a Mr De Rozio, che avevano lasciato al museo per proseguire nelle sue ricerche, con la promessa di tornare ad aiutarlo entro un paio d'ore.

«Quello che abbiamo verificato finora non fa che confermare la storia che la nonna di Sheere, pardon, vostra nonna, ci ha raccontato. Almeno in parte» spiegò Seth.

«C'è qualche lacuna nella storia dell'ingegnere che non sarà facile colmare» disse Michael.

«Esatto» confermò Seth. «E c'è dell'altro. Credo che le cose più interessanti non siano quelle che abbiamo scoperto, ma quelle che non siamo riusciti a verificare.»

«Spiegati meglio» lo sollecitò Ben.

«Vedete» continuò Seth, fregandosi le mani davanti al fuoco, «la storia dell'ingegner Chandra inizia a essere documentata al momento del suo ingresso nell'Istituto dell'industria. Alcune carte confermano che rifiutò diverse offerte del governo britannico per lavorare al servizio dell'esercito nella costruzione di ponti militari e di una linea ferroviaria a uso esclusivo della Marina che avrebbe dovuto unire Bombay a Delhi.»

«Aryami ci ha già raccontato l'avversione che Chandra provava per gli inglesi» osservò Ben. «Li riteneva responsabili di gran parte dei mali che affliggevano il paese.»

«Proprio così» confermò Seth. «Ma la cosa curiosa è che, malgrado la sua aperta antipatia, della quale non mancano manifestazioni pubbliche, Chandra Chatterghee partecipò a uno strano progetto del governo militare britannico negli anni 1914 e 1915, un anno prima di morire nella tragedia di Jheeter's Gate. Si trattava di una questione oscura che rispondeva a un nome curioso: l'*Uccello di Fuoco*.»

Sheere inarcò le sopracciglia e si avvicinò a Seth con un'espressione sgomenta.

«Cos'era l'*Uccello di Fuoco*?» chiese.

«È difficile stabilirlo» rispose Seth. «Mr De Rozio pensa che potrebbe trattarsi di un esperimento militare. Parte della corrispondenza ufficiale contenuta nel fascicolo dell'ingegnere recava la firma di un certo colonnello Sir Arthur Llewelyn, il quale, secondo De Rozio, si vantava del dubbio onore di essere stato a capo delle forze incaricate di reprimere le mobilitazioni pacifiche per l'indipendenza nel periodo tra il 1905 e il 1915.»

«Se ne vantava?» intervenne Ben.

«Questa è la cosa più strana» chiarì Seth. «Sir Arthur Llewelyn, macellaio ufficiale di Sua Maestà, morì nell'incendio di Jheeter's Gate. Cosa ci facesse lì, è un mistero.»

I cinque ragazzi si guardarono, persi in un mare di confusione.

«Cerchiamo di fare un po' d'ordine» suggerì Ben. «Abbiamo da un lato un brillante ingegnere che rifiuta ripetutamente generose offerte del governo britannico per lavorare al suo servizio alla realizzazione di opere pubbliche, dato il suo manifesto odio verso il dominio coloniale. Fin qui tutto ha un senso. Ma all'improvviso appare questo misterioso colonnello e lo coinvolge in un'operazione che, evidentemente, avrebbe dovuto fargli rivoltare le budella dallo schifo: un'arma segreta, un esperimento per reprimere le folle. E questa volta lui accetta. Non quadra. A meno che...»

«A meno che Llewelyn non possedesse un potere persuasivo fuori del comune» completò Ian.

Sheere alzò la mano in segno di protesta.

«È impossibile che mio padre abbia accettato di partecipare a un progetto militare di qualsiasi tipo. Né al servizio dei britannici né dei bengalesi. Detestava i militari e li considerava solo degli assassini al soldo di governi corrotti. Non avrebbe mai prestato il suo talento a un'invenzione destinata a sterminare la sua gente.»

Seth la osservò in silenzio e calibrò con cura le parole.

«Eppure, Sheere, ci sono documenti che accreditano una sua partecipazione.»

«Dev'esserci un'altra spiegazione» replicò Sheere. «Mio padre costruiva cose e scriveva libri, non era un assassino di innocenti.»

«Idealismi a parte, deve esserci di certo un'altra spiegazione» precisò Ben «ed è quella che stiamo cercando. Ma torniamo all'argomento dei poteri persuasivi di Llewelyn. Cosa potrebbe aver fatto per costringere l'ingegnere a collaborare?»

«Probabilmente la sua forza non stava in quello che poteva fare» spiegò Seth, «ma in quello che poteva smettere di fare.»

«Non capisco» disse Ian.

«Questa è la mia teoria» proseguì Seth. «In tutta la storia dell'ingegnere non abbiamo trovato una sola menzione a Jawahal, il suo amico di gioventù, fatta eccezione per una lettera di Sir Llewelyn all'ingegner Chandra datata novembre 1911. In quella lettera, il nostro amico colonnello aggiunge un *post scriptum* nel quale succintamente suggerisce che, se Chandra declinerà l'invito a partecipare al progetto, lui si vedrà costretto a offrire il posto al suo vecchio amico Jawahal. Io penso che l'ingegnere fosse riuscito a nascondere i suoi rapporti giovanili con Jawahal, all'epoca in prigione, e a fare carriera senza che nessuno sapesse della copertura che gli aveva offerto. Ma supponiamo che Llewelyn si fosse incontrato con Jawahal in carcere e che Jawahal gli avesse rivelato la vera natura del suo rapporto con Chandra. Questo lo avrebbe messo in una situazione eccellente per ricattare chiunque e obbligarlo a collaborare.»

«Come sappiamo che Llewelyn e Jawahal si co-noscevano?» domandò Ian.

«È solo una supposizione, ma non troppo campata in aria» suggerì Seth. «Sir Arthur Llewelyn, colonnello dell'esercito britannico, decide di ricorrere all'aiuto di un brillante ingegnere. Lui si rifiuta. Llewelyn scava nel suo passato e scopre un torbido processo che in qualche modo lo coinvolge. Decide allora di andare a trovare Jawahal e Jawahal gli racconta proprio quello che voleva sentirsi dire. È semplice.»

«Non ci credo» disse Sheere.

«A volte la verità è la cosa più difficile da credere. Ricorda le parole di Aryami» commentò Ben. «Ma non corriamo troppo. De Rozio continua a fare ricerche?»

«In questo stesso momento, sì» replicò Seth. «La quantità di carte è tale che ci vorrebbe un esercito di topi di biblioteca per venirne a capo.»

«Ve la siete cavata abbastanza bene» riconobbe Ian.

«La cosa non ci sorprende» disse Ben. «Tornate dal bibliotecario e non perdetelo di vista neanche un secondo. In tutta questa storia c'è qualcosa che ci sfugge.»

«E voi che farete?» chiese Michael, conoscendo in anticipo la risposta.

«Andremo alla casa dell'ingegnere» rispose Ben. «Magari quello che cerchiamo è proprio lì.»

«O forse c'è qualche altra cosa…» osservò Michael.

Ben sorrise.

«Come ho già detto, correremo il rischio.»

Sheere, Ian e Ben arrivarono alla cancellata che proteggeva la casa dell'ingegner Chandra Chatterghee poco prima di mezzanotte. Guardando verso est, la sagoma spigolosa della stretta torre del Syambazaar si stagliava sulla sfera della luna e proiettava la sua ombra, disegnando una lancetta nera e affilata sull'insondabile giardino di palme e arbusti selvatici che nascondeva quell'enigmatica struttura.

Ben si appoggiò alle sbarre metalliche della cancellata e ne esaminò le punte affilate e minacciose.

«Bisognerà scavalcare» disse. «Non sembra facile.»

«Non sarà necessario» replicò Sheere accanto a lui. «Nostro padre ha descritto nel suo libro ogni millimetro di questa casa prima di costruirla e io ho passato anni a memorizzarne ogni angolo. Se quello che ha scritto è vero, e non ho alcun dubbio al riguardo, dietro questi arbusti c'è una piccola laguna e, più in là, dovrebbe esserci la casa.»

«E che mi dici di queste lance?» chiese Ben. «Parlava anche di queste? Non vorrei dovermi far ricucire alla fine di questa serata.»

«C'è un altro modo per entrare in casa senza dover scavalcare il cancello» disse Sheere.

«E allora cosa stiamo aspettando?» domandarono Ian e Ben allo stesso tempo.

Sheere li guidò per un vicolo stretto, poco più di una breccia tra la cancellata e i muri di un edificio vicino dall'aspetto arabeggiante, fino a un'apertura circolare che sembrava servire da canale di scolo o da collettore principale delle tubature della casa. Un fetore acre e pungente si sprigionava dal suo interno.

«Dovremmo infilarci qui?» chiese Ben, incredulo.

«Cosa ti aspettavi?» sbottò Sheere. «Dei tappeti persiani?»

Ben sbirciò all'interno del tunnel delle fognature e annusò di nuovo.

«Divino…» concluse rivolgendosi a Sheere. «Prego, prima tu.»

L'Uccello di Fuoco

Il tunnel sbucava all'aria aperta sotto l'arcata di un piccolo ponte di legno, teso sulla laguna che formava uno scuro manto di velluto davanti alla casa dell'ingegner Chandra Chatterghee. Lungo un'angusta sponda argillosa che cedeva sotto i loro piedi, Sheere condusse i due ragazzi all'estremità dello stagno e si fermò ad ammirare l'edificio che aveva sognato per tutta la vita. Quella notte poteva finalmente vederlo con i suoi occhi, sotto la volta di stelle e nuvole in transito che disegnavano una fuga verso l'infinito. Ben e Ian si unirono a lei in silenzio.

La costruzione era un palazzo a due piani affiancato da due torri che si innalzavano ai lati. La sua fisionomia fondeva caratteristiche di stili architettonici diversi, dai profili edoardiani alle stravaganze paladinesche e alle forme che sembravano prese in prestito da un castello sperduto sui monti della Baviera. Eppure, l'insieme conservava una serena eleganza che sfidava lo sguardo critico dell'osservatore. La casa pareva emanare un fascino seducente che,

dopo la prima impressione di perplessità, suggeriva
che quell'impossibile disparità di stili e di tratti era
stata concepita proprio per farli convivere in armo-
nia. Nascosta nella fitta giungla di vegetazione selvatica che la camuffava nel cuore della *città nera*, la
dimora dell'ingegnere appariva come un solido palazzo signorile e si ergeva altera davanti alla laguna, come un grande cigno nero che contemplasse il
proprio riflesso in uno stagno di ossidiana.

«È così che l'aveva descritta tuo padre?» domandò Ian.

Sheere annuì, meravigliata, e si diresse verso le scale che conducevano alla porta di casa. Ben e Ian la osservarono perplessi, chiedendosi come pensasse di
riuscire a entrare in quella fortezza. Sheere, da parte
sua, sembrava muoversi in quell'enigmatico scenario come se fosse stato la sua dimora fin dall'infanzia. La naturalezza con la quale aggirava gli ostacoli
velati dal manto della notte ispirava nei due ragazzi una strana sensazione: li faceva sentire intrusi, invitati per caso all'incontro fra Sheere e il sogno col-
tivato nei suoi anni nomadi. Guardandola salire gli
scalini, Ben e Ian compresero che quel luogo deserto e avvolto in un alone spettrale era l'unica e vera
casa che la ragazza avesse mai avuto.

«Pensate di restarvene lì tutta la notte?» domandò
Sheere dall'alto della gradinata.

«Ci stavamo chiedendo da dove saremmo entrati»
rispose Ben, e Ian annuì sottoscrivendo il dubbio
dell'amico.

«Ho la chiave» disse la ragazza.

«La chiave?» si meravigliò Ben. «Dove?»

«Qui» rispose Sheere, toccandosi la testa con l'indice. «Le serrature di questa casa non si aprono in modo convenzionale. C'è un'altra chiave.»

Ben e Ian si avvicinarono, intrigati. Arrivati alla porta, si accorsero che al centro c'erano quattro ruote sovrapposte su un asse, il cui diametro diventava più piccolo via via che si allontanavano dalla superficie. Sul perimetro delle ruote era possibile distinguere segni diversi incisi sul metallo, come le ore sul quadrante di un orologio.

«Cosa significano quei simboli?» chiese Ian cercando di decifrarli nella penombra.

Ben tirò fuori una scatola di fiammiferi che portava sempre con sé per ogni evenienza, e ne accese uno davanti alle ruote dentate del meccanismo. Il metallo brillò sotto gli occhi dei tre ragazzi.

«Alfabeti!» esclamò Ben. «Su ogni ruota è inciso un alfabeto. Greco, latino, arabo e sanscrito.»

«Fantastico» sospirò Ian. «Sarà facile come bere un bicchier d'acqua…»

«Non perdetevi d'animo» intervenne Sheere. «La chiave è semplice. Basta comporre una parola di quattro lettere con i diversi alfabeti.»

Ben la osservò attentamente.

«E qual è questa parola?»

«Dido» rispose la ragazza.

«Dido?» chiese Ian. «Cosa significa?»

«È il nome di una regina della mitologia fenicia, quella che noi chiamiamo Didone» spiegò Ben.

Sheere annuì e Ian sentì una punta di gelosia per

lo scintillio che sembravano emanare gli sguardi tra i due fratelli.

«Continuo a non capire» obiettò. «Cosa c'entrano i fenici con Calcutta?»

«A Cartagine la regina Didone si gettò su una pira funebre ardente per placare l'ira degli dèi» spiegò Sheere. «È il simbolo del potere purificatore del fuoco... Anche gli egizi avevano il loro mito, la fenice.»

«L'uccello di fuoco» aggiunse Ben.

«Ma non è il nome del progetto militare di cui parlava Seth?» chiese Ian.

Ben fece segno di sì.

«Questa storia comincia a farmi drizzare i capelli» affermò Ian. «Non penserete sul serio di entrare lì dentro? Cosa facciamo adesso?»

I due fratelli si scambiarono uno sguardo deciso.

«Semplicissimo» rispose Ben. «Apriamo questa porta.»

Davanti alle centinaia di documenti che lo circondavano, le palpebre del panciuto bibliotecario cominciavano ad avere la consistenza di due lastre di marmo. L'oceano di parole e cifre ripescate dai fascicoli dell'ingegner Chandra Chatterghee aveva iniziato una suadente danza capricciosa che pareva sussurrargli un'irresistibile ninna nanna.

«Ragazzi, credo che bisognerebbe rimandare a domani mattina» esordì Mr De Rozio.

Seth, che da un bel pezzo temeva di ascoltare quell'annuncio, riemerse subito dal maremagno di cartelle e sfoggiò l'immancabile sorriso.

«Rimandare, Mr De Rozio?» obiettò cortesemente. «Impossibile! Non possiamo abbandonare adesso.»

«Questione di secondi e crollerò sul tavolo, figliolo» replicò il bibliotecario. «E Shiva, nella sua infinita bontà, mi ha concesso un peso che, secondo l'ultima verifica effettuata lo scorso mese di febbraio, oscillava tra le 250 e le 260 libbre. Sai cosa significa?»

Seth sorrise gioviale.

«Circa 120 chili» calcolò.

«Esatto» confermò De Rozio. «Hai mai tentato di spostare un adulto di 120 chili, figliolo?»

Seth considerò la questione.

«In questo istante non mi viene in mente, però...»

«Un momento» esclamò Michael da qualche invisibile punto della sala stracolma di cartelle, scatole e pile di carte ingiallite. «Ho trovato qualcosa!»

«Spero che sia un cuscino» protestò De Rozio, sollevando a fatica la sua imponente massa.

Michael apparve dietro una colonna di scaffali polverosi con una scatola piena di fascicoli e timbri che il tempo aveva scolorito senza pietà. Seth aggrottò la fronte e sperò che il ritrovamento valesse la pena.

«Credo sia l'istruttoria di un processo per una serie di omicidi» disse Michael. «Era sotto un fascicolo di citazioni a nome dell'ingegner Chandra Chatterghee.

«Il processo a Jawahal?» saltò su Seth, visibilmente eccitato.

«Fammi dare un'occhiata» ordinò De Rozio.

Michael posò la scatola sulla scrivania del bibliotecario. Una nuvola di polvere giallastra inondò il cono di luce dorata proiettato dalla lampadina. Le grosse dita di De Rozio scorsero accuratamente i documenti, mentre i suoi occhietti ne scrutavano il contenuto. Seth osservò il volto del bibliotecario con il cuore in tumulto in attesa di qualche parola o di un cenno chiarificatore. De Rozio si soffermò su un foglio che sembrava recare diversi timbri e lo avvicinò alla luce.

«Guarda, guarda...» mormorò tra sé.

«Cos'è, signore?» supplicò Seth. «Cos'ha trovato?»

De Rozio sollevò lo sguardo e sfoggiò un ampio sorriso felino.

«Ho tra le mani un documento firmato dal colonnello Sir Arthur Llewelyn. Adducendo ragioni di Stato e di sicurezza militare, ordina di soprassedere al procedimento giudiziario n. 089861/A della quarta sezione del Tribunale supremo di giustizia della città di Calcutta, nel quale è imputato il cittadino Lahawaj Chandra Chatterghee, ingegnere, con l'accusa di coinvolgimento, favoreggiamento e/o occultamento di prove in un'indagine per omicidio, e dispone che venga trasferito presso la Corte suprema militare dell'esercito di Sua Maestà, annullando tutte le risoluzioni precedenti, così come le prove apportate in udienza dalla difesa e dalla pubblica accusa. Data: 14 settembre 1911.»

Michael e Seth guardarono attoniti Mr De Rozio, senza riuscire a spiccicare una parola.

«Bene, figlioli» concluse lui. «Chi di voi sa preparare un caffè? Questa sarà una notte molto lunga...»

La serratura con le quattro ruote di alfabeti diversi emise un cigolio quasi impercettibile e, dopo qualche secondo, la massa metallica della porta si aprì lentamente in due parti, lasciando sfuggire un'esalazione di aria rimasta imprigionata all'interno della casa per anni. Ian impallidì nell'ombra.

«Si è aperta» sussurrò timoroso.

«Ha parlato il grande osservatore» commentò Ben.

«Non è il momento di scherzare» ribatté Ian. «Non sappiamo cosa ci sia lì dentro.»

Ben tirò fuori la scatola di fiammiferi e la agitò, facendola suonare.

«È solo questione di tempo» disse. «Vuoi essere il primo a entrare?»

Ian gli rivolse un sorriso recalcitrante.

«Ti cedo l'onore» replicò.

«Andrò prima io» disse Sheere, addentrandosi nella casa senza aspettare la risposta dei due amici.

Ben si affrettò ad accendere un altro fiammifero e a seguirla. Ian lanciò un'ultima occhiata al cielo notturno, come temendo che quella fosse l'ultima opportunità di vederlo, e dopo aver inspirato a fondo si immerse nella casa dell'ingegnere. Un attimo dopo, la porta si richiuse alle loro spalle con la stessa delicatezza e precisione con cui aveva facilitato il loro passaggio.

I tre ragazzi si fermarono uno vicino all'altro e Ben sollevò in alto il fiammifero. Davanti ai loro occhi si presentò uno spettacolo impressionante che andava oltre ogni loro fantasia su quel luogo.

Si trovavano in un salone sorretto da grosse colonne bizantine e sovrastato da una volta coperta da un affresco monumentale. Centinaia di figure della mitologia indù formavano un'interminabile cronaca per immagini che si sviluppavano in cerchi concentrici attorno a una figura centrale scolpita in rilievo sulla pittura: la dea Kali.

Le pareti della sala erano formate da scaffali colmi di libri che disegnavano due semicerchi alti più di tre metri. Il pavimento era rivestito da un mosaico di brillanti smalti neri e punte di cristallo di rocca che creava l'illusione di un firmamento di stelle e di costellazioni. Ian osservò attentamente il tracciato ai suoi piedi e riconobbe le forme delle varie figure celesti che Bankim gli aveva spiegato al St Patrick's.

«Dovrebbe vederlo Seth...» sussurrò Ben.

In fondo al salone, al di là di quel tappeto di stelle che rappresentava l'universo conosciuto, una scala a chiocciola saliva a spirale al secondo piano della casa.

Prima che Ben se ne rendesse conto, il fiammifero gli bruciò le dita e i tre ragazzi restarono di nuovo nel buio più assoluto. Eppure le costellazioni ai loro piedi continuavano a brillare come il firmamento notturno.

«È incredibile» mormorò Ben tra sé.

«Aspetta di vedere il piano di sopra» replicò la voce di Sheere a pochi metri da lui.

Ben accese un altro fiammifero e i due amici videro che la ragazza li stava già aspettando accanto alla scala a spirale. Senza dire una parola, Ian e Ben la seguirono.

La scala si ergeva al centro di un vano che pareva formare una lanterna simile a quelle che avevano studiato nelle riproduzioni di certi castelli francesi sulle rive della Loira. Alzando lo sguardo, i ragazzi avevano l'impressione di trovarsi all'interno di un grande caleidoscopio, coronato da un rosone simile a quello di una cattedrale, i cui vetri multicolori trasformavano la luce della luna e la scomponevano in centinaia di fasci azzurri, scarlatti, gialli, verdi e ambra.

Arrivati al primo piano, videro che gli aghi di luce che filtravano dalla sommità della lanterna proiettavano disegni e figure cangianti che percorrevano lentamente le pareti della sala come immagini di un primitivo cinematografo spettrale.

«Guardate là» disse Ben indicando una grande superficie a un metro di altezza che occupava un rettangolo di quasi quaranta metri quadrati.

I tre si avvicinarono e scoprirono quello che pareva un immenso plastico di Calcutta, riprodotta così in dettaglio e con tale realismo che, visto da vicino, dava l'illusione di sorvolare la vera città. Riconobbero il corso dell'Hooghly, il Maidan, Fort William, la *città bianca*, il tempio di Kali a sud di Calcutta, la *città nera* e perfino i bazar. Sheere, Ian e Ben contemplarono a lungo sbalorditi quella straordinaria miniatura, prigionieri della sua bellezza e del suo fascino.

«Guardate, qui c'è la casa» indicò Ben.

Gli altri due gli si avvicinarono e scoprirono che nel cuore della *città nera* si innalzava una fedele riproduzione della casa in cui si trovavano. Le luci multicolori della lanterna spazzavano le strade di quella miniatura come lampi caduti dal cielo al cui passaggio si svelavano i segreti di Calcutta.

«Cosa c'è dietro la casa?» chiese Sheere.

«Sembrano binari della ferrovia» osservò Ian.

«Sono proprio binari» confermò Ben, seguendone il tracciato finché il suo sguardo scoprì la sagoma spigolosa e maestosa della stazione di Jheeter's Gate, oltre un ponte di metallo che attraversava l'Hooghly.

«Da qui si arriva alla stazione dell'incendio» aggiunse. «È un binario morto.»

«C'è un treno fermo sul ponte» osservò Sheere.

Ben girò attorno al plastico per avvicinarsi alla riproduzione della ferrovia e la esaminò attentamente. Un fastidioso brivido gli corse lungo la schiena. Riconosceva quel treno. L'aveva visto la notte precedente, anche se l'aveva preso per un incubo. Sheere lo raggiunse in silenzio e Ben notò che aveva le lacrime agli occhi.

«Questa è la casa di nostro padre, Ben» mormorò. «L'ha costruita per noi, perché fosse nostra.»

Ben l'abbracciò e la strinse a sé. Ian, che li osservava dall'altra estremità della stanza, cercò di guardare altrove. Ben accarezzò il viso della sorella e la baciò sulla fronte.

«D'ora in avanti» disse «questa sarà sempre la nostra casa.»

In quel momento il piccolo treno fermo sul ponte accese le luci e, lentamente, le ruote cominciarono a girare sui binari.

Mentre, in un silenzio sepolcrale, Mr De Rozio consacrava tutte le sue capacità di analisi e l'astuzia da vecchia volpe degli archivi ai rapporti sul processo che il colonnello Llewelyn si era tanto impegnato a insabbiare, Seth e Michael si dedicavano a una strana cartella che conteneva progetti e numerose annotazioni scritte a mano dallo stesso Chandra. Seth l'aveva trovata in fondo a una delle scatole con gli effetti personali dell'ingegnere. Dopo la sua scomparsa, visto che né i familiari né le istituzioni li avevano reclamati, e considerando la rilevanza pubblica del personaggio, erano finiti nel limbo degli archivi del museo, la cui biblioteca era utilizzata da diverse istituzioni scientifiche e accademiche di Calcutta, tra le quali l'Istituto di ingegneria superiore, di cui Chandra Chatterghee era stato uno dei membri più illustri e controversi. La cartella, rilegata in modo semplice, era catalogata con un'unica scritta, vergata sulla copertina con l'inchiostro blu: *L'Uccello di Fuoco*.

Seth e Michael ne avevano nascosto il ritrovamento per non distrarre il panciuto bibliotecario dal lavoro che assorbiva le sue migliori qualità e per il quale la sua perizia di vecchio diavolo degli archivi era insostituibile. Perciò si erano ritirati all'altra estremità della sala per dedicarsi in silenzio all'analisi dei documenti.

«Questi disegni sono formidabili» sussurrò Michael, ammirando il tratto dell'ingegnere in diversi schizzi che mostravano oggetti meccanici la cui funzione concreta gli risultava arcana e insondabile.

«Pensiamo a quello che ci interessa» lo rimbrottò Seth. «Cosa dice dell'Uccello di Fuoco?»

«La scienza non è il mio forte» cominciò Michael, «ma mi venga un accidente se questo non è l'esploso di una grande macchina incendiaria.»

Seth osservò i progetti senza capirci un tubo. Michael anticipò le sue domande.

«Questo è un serbatoio di olio o di qualche tipo di combustibile» indicò sul disegno «al quale è unito un meccanismo di aspirazione. Non è altro che una pompa di alimentazione, come quella di un pozzo. La pompa fornisce il combustibile per alimentare questo cerchio di fuoco. Una specie di fiamma pilota.»

«Ma queste fiamme non devono essere più alte di qualche centimetro» obiettò Seth. «Non vedo nessun potere incendiario.»

«Osserva questa conduttura.»

Seth guardò la cosa a cui si riferiva l'amico: una specie di tubo simile alla canna di un fucile.

«Le fiamme escono tutt'intorno alla bocca della canna.»

«E allora?»

«Guarda l'altra estremità» disse Michael. «È un serbatoio. Un serbatoio di ossigeno.»

«Chimica elementare» mormorò Seth unendo i capi sciolti.

«Immagina cosa succederebbe se l'ossigeno, spinto dalla pressione, uscisse dal condotto e attraversasse il cerchio di fiamme» suggerì Michael.

«Un cannone che spara fuoco» confermò Seth.

Michael chiuse la cartella e guardò l'amico.

«Che razza di segreto doveva nascondere Chandra per prestarsi a progettare un giocattolo simile per un macellaio come Llewelyn? È come regalare un carico di polvere da sparo a Nerone...»

«È quello che dobbiamo scoprire» disse Seth. «E in fretta.»

Sheere, Ben e Ian seguirono in silenzio il percorso del treno sul plastico fino a quando il piccolo locomotore si fermò proprio dietro la miniatura che riproduceva la casa dell'ingegnere. Le luci si spensero lentamente e i tre amici rimasero immobili in attesa.

«Come diavolo si muove questo treno?» domandò Ben. «Deve pur prendere l'energia da qualche parte. C'è un generatore di elettricità in casa, Sheere?»

«No, che io sappia» rispose la sorella.

«Dev'esserci per forza» affermò Ian. «Cerchiamolo.»

Ben scosse la testa.

«Non è questo che mi preoccupa» disse. «Ammettendo che ci sia, non conosco nessun generatore capace di funzionare da solo. Tanto più dopo anni di inattività.»

«Forse questo plastico funziona con un altro tipo di meccanismo» suggerì Sheere senza troppa convinzione.

«O forse c'è qualcun altro in casa» ribatté Ben.

Ian maledisse mentalmente la sua sorte.

«Lo sapevo...» mormorò abbattuto.

«Aspetta!» esclamò Ben.

Ian guardò l'amico e vide che indicava di nuovo

il plastico. Il treno aveva ripreso a muoversi sullo stesso percorso, ma in direzione opposta.

«Sta tornando alla stazione» osservò Sheere.

Ben si avvicinò lentamente al bordo del plastico e si fermò davanti al tratto di binari che il treno si apprestava a imboccare.

«Cosa hai in mente?» chiese Ian.

L'amico non rispose e tese il braccio verso il binario, mentre il locomotore si avvicinava. Quando il treno gli passò di fronte, afferrò il locomotore e lo sollevò, sganciandolo dai vagoni. Il resto del convoglio cominciò a poco a poco a perdere velocità finché non si fermò. Ben si avvicinò alla luce che proveniva dalla lanterna ed esaminò il locomotore. Le piccole ruote giravano sempre più piano.

«Qualcuno deve avere un senso dell'umorismo piuttosto strano» commentò Ben.

«Perché?» volle sapere Sheere.

«Ci sono tre figure di piombo nella cabina» disse Ben. «E somigliano a noi tre al di là di qualsiasi coincidenza.»

Sheere si affiancò a Ben e prese il piccolo locomotore tra le mani. Le linee danzanti di luce le tracciarono un arcobaleno sul volto e le sue labbra si distesero in un sorriso sereno e rassegnato.

«Sa che siamo qui» disse. «Non ha senso continuare a nasconderci.»

«Di chi stai parlando?» chiese Ian.

«Di Jawahal» rispose Ben. «Sta aspettando. Quello che non capisco è che cosa aspetti.»

Siraj e Roshan si fermarono davanti alla sagoma spettrale del ponte di metallo perduto nella bruma che ricopriva il fiume Hooghly e si lasciarono cadere contro un muro, sfiniti dopo aver perlustrato invano la città sulle tracce di Isobel. Le cuspidi delle torri di Jheeter's Gate spuntavano dalla nebbia disegnando la cresta di un drago addormentato in una nube formata dal suo stesso respiro.

«Ormai manca poco all'alba» disse Roshan. «Dovremmo tornare. Magari Isobel ci sta aspettando da ore.»

«Non credo» ribatté Siraj.

La corsa notturna si faceva sentire nella voce del ragazzo, ma per la prima volta in tanti anni Roshan non lo aveva sentito lamentarsi per l'asma.

«Abbiamo cercato dappertutto» replicò Roshan. «Di più non possiamo fare. Andiamo almeno a chiedere aiuto.»

«C'è ancora un posto in cui cercare...»

Roshan guardò la sinistra struttura di Jheeter's Gate nella nebbia e sospirò.

«Isobel non è così pazza da andarsi a infilare lì dentro» disse. «E nemmeno io.»

«Allora ci andrò da solo» rispose Siraj, rialzandosi.

Roshan lo sentì ansimare e chiuse gli occhi, avvilito.

«Siediti» gli ordinò, avvertendo i passi dell'amico che si allontanavano verso il ponte.

Quando aprì gli occhi, l'esile sagoma di Siraj stava per immergersi nella nebbia.

«Maledizione!» mormorò sottovoce, mentre si alzava per seguire l'amico.

Siraj si fermò alla fine del ponte e osservò il porticato di Jheeter's Gate che si ergeva davanti a lui. Roshan gli si avvicinò e insieme esaminarono la situazione. Una corrente d'aria fredda usciva dai tunnel della stazione e il fetore di legno bruciato e di sporcizia si faceva sempre più intenso. I due ragazzi tentarono di mettere a fuoco qualcosa nel pozzo oscuro che si apriva oltre la soglia della grande volta. L'eco lontana di una pioggia leggera picchiettava sui cartelli divelti.

«Sembra l'ingresso dell'inferno» disse Roshan. «Andiamocene finché siamo in tempo.»

«È un fatto mentale» replicò Siraj. «Pensa che è solo una stazione abbandonata. Non c'è nessuno qui dentro. Ci siamo solo noi.»

«E se non c'è nessuno perché dobbiamo entrarci?» protestò Roshan.

«Non sei obbligato a farlo se non vuoi» rispose Siraj senza alcun tono di rimprovero.

«Già» lo bloccò Roshan. «E tu entreresti da solo, no? Te lo puoi scordare. Andiamo.»

I due membri della Chowbar Society si addentrarono nella stazione seguendo le rotaie che attraversavano il ponte e tracciavano il percorso verso la banchina centrale. L'oscurità all'interno, sotto la volta, era molto più densa che all'esterno e a stento si potevano distinguere i contorni degli oggetti tra le macchie di chiarore grigiastro e acquoso. Roshan e Siraj camminarono lentamente, separati appena da un metro di distanza, mentre l'eco dei loro passi componeva una litania ripetitiva nel sussurro delle correnti d'aria, che sembravano ruggire in qualche punto all'interno dei tunnel con la voce di un mare lontano e infuriato.

«È meglio salire sul marciapiede» osservò Roshan.

«Sono anni che qui non passa nessun treno. Che differenza fa?»

«Per me fa differenza, d'accordo?» replicò Roshan, che non riusciva a togliersi dalla mente l'immagine di un treno che spuntava dall'imboccatura del tunnel e li stritolava sotto le ruote.

Siraj mormorò qualcosa di incomprensibile, ma in un tono di accettazione. Stava per salire sul marciapiede quando qualcosa sbucò dal tunnel, fluttuando nell'aria e dirigendosi verso i due ragazzi.

«Che cos'è?» mormorò Roshan, allarmato.

«Sembra un pezzo di carta» riuscì a dire Siraj. «Il vento che trascina i rifiuti, tutto qui.»

Il foglio bianco atterrò ai loro piedi e andò a fermarsi accanto a Roshan. Il ragazzo si inginocchiò e lo prese tra le mani. Siraj vide il volto dell'amico trasfigurare.

«E adesso che succede?» chiese, sentendo che il timore dell'amico cominciava a essere contagioso.

Roshan gli tese il foglio in silenzio e Siraj lo riconobbe all'istante. Era il loro ritratto davanti allo stagno realizzato da Michael e del quale Isobel si era appropriata. Siraj restituì il disegno all'amico e, per la prima volta da quando avevano iniziato la ricerca, contemplò la possibilità che la ragazza fosse davvero in pericolo.

«Isobel!» gridò in direzione dei tunnel.

L'eco della sua voce si perse nelle viscere della stazione e gli gelò il sangue. Siraj cercò di concentrarsi e di controllare il respiro, che diventava sempre più affannoso. Lasciò che il riflesso della sua voce svanisse e poi, tenendo a bada i nervi, chiamò di nuovo.

«Isobel!»

Un forte impatto metallico risuonò da qualche angolo della stazione. Roshan sobbalzò e si guardò intorno. Il vento dei tunnel gli sferzò il viso e i due ragazzi indietreggiarono di alcuni passi.

«C'è qualcosa lì dentro» mormorò Siraj indicando il tunnel con una serenità che il suo compagno non riusciva a capire.

Roshan fissò l'imboccatura nera del tunnel e allora anche lui riuscì a vederle. Le luci lontane di un treno che si avvicinavano. Sentì i binari vibrare sotto i piedi e guardò Siraj, atterrito. L'amico sorrideva in modo strano.

«Io non corro veloce come te, Roshan» disse piano. «Lo sappiamo tutti e due. Non aspettarmi e vai a cercare aiuto.»

«Di che diavolo stai parlando?» esclamò Roshan, perfettamente consapevole di quello che l'amico insinuava.

Le luci del treno penetrarono sotto la volta della stazione come un fulmine nella tempesta.

«Corri» ordinò Siraj. «Adesso.»

Roshan si perse negli occhi dell'amico e sentì il frastuono del locomotore sempre più vicino. Siraj annuì. Roshan riunì tutte le sue forze e si lanciò in una corsa disperata verso l'estremo opposto della banchina, in cerca di un posto dove poter evitare la traiettoria del treno. Corse con tutta la velocità di cui fu capace, senza fermarsi a guardare indietro, con la certezza che, se avesse osato farlo, si sarebbe ritrovato la mascherina di alluminio del locomotore a un palmo dal viso. I quindici metri che lo separavano dalla fine della banchina divennero centocinquanta: preso dal panico, credette di vedere i binari allungarsi davanti ai suoi occhi in una fuga vertiginosa. Quando si gettò a terra e ruzzolò su un cumulo di macerie, avvertì il ruggito del treno a pochi centimetri dal punto in cui era caduto. Sentì l'ululato assordante dei bambini e percepì sulla pelle il morso delle fiamme per dieci terribili secondi nei quali immaginò che la stazione gli sarebbe crollata addosso.

Poi, improvvisamente, si fece silenzio. Roshan si rialzò e aprì gli occhi per la prima volta da quando si era gettato a terra. La stazione era di nuovo deserta e non c'era traccia del treno, tranne due scie di fiamme che si spegnevano lungo i binari. Sentì le viscere inondarsi di acqua gelata e tornò di corsa verso il punto in cui aveva visto per l'ultima volta Siraj. Maledicendo la propria vigliaccheria, pianse di rabbia e si accorse di essere solo nella stazione.

Le prime luci dell'alba, in lontananza, gli mostravano la strada verso l'uscita.

Il preludio dell'alba si insinuava timidamente attraverso le imposte chiuse della biblioteca del Museo indiano. Seth e Michael, esausti, sonnecchiavano sul tavolo quasi incoscienti. Mr De Rozio fece un profondo sospiro e allontanò la sedia dalla scrivania sfregando-si gli occhi. Era rimasto immerso per ore nell'oceano di documenti cercando di sviscerare quel mostruoso fascicolo di atti giudiziari. Il suo stomaco reclamava attenzioni, oltre a una decisa moratoria nell'ingestione di caffè, se ci si aspettava da lui che continuasse a compiere il proprio dovere con una certa dignità.

«Io mi arrendo, belle addormentate» tuonò.

Seth e Michael alzarono la testa di scatto e si resero conto che il giorno si era svegliato prima di loro.

«Cosa è riuscito a trovare, signore?» chiese Seth, reprimendo uno sbadiglio.

Il suo stomaco brontolava e la testa sembrava piena di un brodo di mele cotte.

«Stai scherzando, figliolo?» disse il bibliotecario. «Ho l'impressione che mi abbiate preso in giro.»

«Non capisco, signore» intervenne Michael.

De Rozio sbadigliò vivacemente mostrando delle fauci cavernose ed emise un suono che risvegliò nei ragazzi l'immagine mentale di un ippopotamo che sguazza in un fiume.

«È molto semplice» disse. «Siete venuti qui con una storia di omicidi e delitti e con l'assurda vicenda di quel Jawahal.»

«Ma è tutto vero. Abbiamo informazioni di prima mano.»

De Rozio sorrise sornione.

«Probabilmente c'è qualcuno che vi ha fatti fessi» replicò. «In tutta questa pila di carte non ho trovato neanche una menzione al vostro amico Jawahal. Neanche una parola. Zero.»

Seth sentì che il suo già sgonfio stomaco gli scivolava fino ai piedi scendendo lungo i pantaloni.

«Ma è impossibile, signore. Jawahal è stato condannato e rinchiuso in una prigione dalla quale è fuggito alcuni anni dopo. Potremmo ricominciare da lì. Deve pur risultare da qualche parte...»

De Rozio lo scrutò scettico con i suoi occhi porcini e penetranti. Il suo viso diceva chiaramente che non ci sarebbe stata una seconda possibilità.

«Se fossi in voi, ragazzi» suggerì, «tornerei da chi vi ha raccontato questa storia e stavolta mi assicurerei di farmela raccontare tutta intera. E riguardo a quel Jawahal, che secondo il vostro informatore misterioso era in prigione, mi sembra più sfuggente di quanto io o voi possiamo immaginare.»

Osservò i due ragazzi. Erano pallidi come il marmo. Il panciuto erudito rivolse loro un sorriso di commiserazione.

«Le mie condoglianze» mormorò. «Avete fiutato una pista sbagliata.»

Poco dopo, Seth e Michael contemplavano l'alba seduti sui gradini della facciata principale del Museo indiano. Una pioggia leggera aveva ricoperto le strade di una cappa brillante che formava una lamina d'oro liquido alla luce del sole che saliva tra le brume dell'est. Seth guardò l'amico e gli mostrò una moneta.

«Testa, io vado a parlare con Aryami e tu vai alla prigione» disse. «Croce, il contrario.»

Michael annuì con gli occhi socchiusi. Seth lanciò la moneta in aria e il cerchio di bronzo descris-

197

se una traiettoria di lampi intermittenti, fino a fermarsi sul suo polso. Michael si chinò a guardare il risultato.

«Porta i miei saluti ad Aryami...» mormorò Seth.

La luce del giorno arrivò finalmente nella casa dell'ingegner Chandra dopo una notte che sembrava non voler finire mai. Per la prima volta nella sua vita, Ian benedisse il sole di Calcutta quando i suoi raggi squarciarono il manto di oscurità che aveva avvolto per ore lui e i suoi amici.

Il giorno portò via con sé l'aspetto minaccioso della casa, e anche Ben e Sheere furono visibilmente sollevati dall'arrivo della luce, che accolsero con un'espressione rilassata e di sincera stanchezza. Faticavano a ricordare l'ultima volta che avevano dormito, anche se era accaduto soltanto poche ore prima. Il peso del sonno e lo sfinimento imposto dal ritmo degli eventi permettevano adesso di affrontare la situazione con una serenità che, nel buio della notte, non avrebbero neanche osato concepire.

«Bene» disse Ben. «Se questa casa ha un pregio, è che qui siamo al sicuro. Se il nostro amico Jawahal potesse entrare, lo avrebbe già fatto. Nostro padre forse aveva passioni eccentriche, ma sapeva come proteggere una casa. Propongo di provare a dormire un po'. Così come stanno le cose, preferisco addormentarmi alla luce del giorno ed essere ben sveglio quando fa buio.»

«Non potrei essere più d'accordo» convenne Ian. «Dove potremmo dormire?»

«Ci sono diverse stanze nelle torri» spiegò Sheere. «C'è solo l'imbarazzo della scelta.»

«Suggerisco di utilizzare stanze contigue» propose Ben.

«D'accordo» disse Ian. «E non sarebbe neppure male mangiare un boccone.»

«Il cibo dovrà aspettare» spiegò Ben. «Più tardi usciremo a cercare qualcosa.»

«Come fate ad avere fame?» domandò Sheere.

Ben e Ian scrollarono le spalle.

«Fisiologia elementare» rispose Ben. «Prova a chiederlo a Ian. È lui il medico.»

«Come mi spiegò una volta una maestra che mi insegnava a leggere in una scuola di Bombay» disse Sheere, «la principale differenza tra l'uomo e la donna è che l'uomo antepone sempre lo stomaco al cuore. La donna fa sempre il contrario.»

Ben soppesò quella teoria e non esitò a contrattaccare.

«Cito testualmente il nostro misogino preferito, Mr Thomas Carter, scapolo per professione e per vocazione: "La vera differenza è che, mentre gli uomini hanno lo stomaco molto più grande del cervello e del cuore, il cuore delle donne è talmente piccolo che finisce sempre per uscire dalla bocca".»

Ian assistette allo scambio di citazioni incrociate in preda a uno stupore assoluto.

«Filosofia da quattro soldi» sentenziò Sheere.

«Quella da quattro soldi, cara Sheere» dichiarò Ben, «è l'unica filosofia che valga qualcosa.»

Ian alzò una mano in segno di tregua.

«Buonanotte, sposini» disse dirigendosi direttamente verso la torre.

Dieci minuti dopo erano tutti e tre immersi in un sonno profondo dal quale nessuno avrebbe potuto svegliarli. La stanchezza fu più forte della paura.

Dalla scalinata del Museo indiano Seth discese per mezzo miglio Chowringhee Road in direzione sud e svoltò verso est a Park Street, diretto alla zona di Beniapukur, dove le rovine dell'antico penitenziario di Curzon Fort sorgevano nelle immediate vicinanze del cimitero scozzese. Il deteriorato camposanto era stato costruito all'esterno di quelli che un tempo si ritenevano i confini ufficiali della città. In quell'epoca, l'elevato tasso di mortalità e la velocità con la quale i cadaveri si decomponevano obbligarono a trasferire tutti i siti funerari fuori da Calcutta per motivi di igiene pubblica. Gli scozzesi, paradossalmente, pur avendo controllato con mano ferma per decenni l'attività mercantile della città, scoprirono di non potersi permettere una sepoltura fra le tombe del cimitero dei loro vicini britannici e si videro costretti a costruirne uno tutto per loro. A Calcutta i ricchi si rifiutavano di cedere il loro terreno ai più poveri, perfino dopo morti.

Quando fu nei pressi dei resti del penitenziario di Curzon Fort, Seth comprese il motivo per cui non era ancora stato vittima dei sanguinosi crolli abituali in città. La struttura dell'edificio pareva appesa a un filo invisibile, pronta a schiantarsi sulla folla al minimo tentativo di alterarne l'equilibrio. L'incendio sembrava aver divorato il carcere come se si fosse trattato di un modellino di cartone, aprendo brecce e distruggendo travi e puntelli con ferocia inusitata. Attraverso i finestroni si intravedevano i soffitti carbonizzati, come le gengive malate di un vecchio animale.

Seth si avvicinò all'ingresso dell'edificio e si chiese come avrebbe potuto scoprire qualcosa in quella catasta di assi e mattoni bruciacchiati. Di sicuro, lì non era rimasta altra memoria del passato se non le sbarre di metallo e le celle che avevano finito i loro giorni trasformate in forni mortali e senza vie di fuga.

«Sei venuto a trovare qualcuno, ragazzo?» sussurrò una voce rotta alle sue spalle.

Seth si voltò, allarmato, e si rese conto che quelle parole provenivano dalle labbra di un anziano cencioso le cui mani e i cui piedi mostravano ampie piaghe in avanzato stato di infezione. I suoi occhi scuri lo osservavano nervosi dietro un viso nascosto dalla sporcizia e da una barba bianca e rada che sembrava rasata con il coltello.

«È questa la prigione di Curzon Fort, signore?» chiese Seth.

Gli occhi del mendicante si spalancarono per l'insolita cortesia con cui gli si rivolgeva il ragazzo e un sorriso sdentato affiorò sulle labbra incartapecorite.

«Quello che ne rimane» rispose. «Stai cercando un posto dove dormire, figliolo?»

«Sto cercando delle informazioni» ribatté Seth con l'intenzione di ricambiare il vecchio con un sorriso amabile e cortese.

«Questo è un mondo di ignoranti; nessuno cerca informazioni. Eccetto tu. E cosa vuoi sapere, ragazzo?»

«Lei conosce questo posto?» chiese Seth.

«Ci vivo» replicò il mendicante. «Un giorno è stato il mio carcere; oggi è la mia casa. La provvidenza è stata generosa con me.»

«Lei è stato rinchiuso qui a Curzon Fort?» domandò Seth, senza riuscire a nascondere la sorpresa.

«C'è stato un tempo in cui ho commesso molti errori... E li ho dovuti pagare» fu la risposta del mendicante.

«Fino a quando è rimasto in questa prigione, signore?» insisté Seth.

«Fino alla fine.»

«Era qui la notte dell'incendio?»

Il vecchio scostò gli stracci che gli ricoprivano il corpo e Seth osservò con orrore la cicatrice purpurea dell'estesa bruciatura che gli attraversava il petto e il collo.

«Allora, forse lei può aiutarmi» disse il ragazzo. «Due miei amici sono in pericolo. Ricorda di aver conosciuto un detenuto che si chiamava Jawahal?»

Il mendicante chiuse gli occhi e fece segno di no, lentamente.

«Qui dentro nessuno di noi veniva chiamato con il suo vero nome, figliolo» spiegò. «Il nome, come la libertà, era qualcosa che lasciavamo sulla porta quando entravamo, fidando nel fatto che, se lo avessimo tenuto lontano dall'orrore di questo posto, forse al momento di uscire saremmo riusciti a recuperarlo limpido e senza ricordi. Naturalmente, non succedeva mai...»

«L'uomo al quale mi riferisco era stato condannato per omicidio» aggiunse Seth. «Era giovane. È stato lui a provocare l'incendio che ha distrutto la prigione.»

Il mendicante l'osservò con aria tra sorpresa e divertita.

«Lui avrebbe provocato l'incendio...!» esclamò con incredulità. «L'incendio è partito dalle caldaie. È esplosa una valvola. Io ero fuori dalla mia cella, avevo il turno di lavoro. È stato quello a salvarmi.»

«Quell'uomo ha innescato l'incendio» insisté Seth «e adesso vuole uccidere i miei amici.»

Il vecchio piegò la testa, scettico, ma annuì.

«Può darsi, figliolo, ma ormai cosa importa?» concesse. «In ogni caso, io non mi preoccuperei per i tuoi amici. Quell'uomo, Jawahal, non può più fare del male a nessuno.»

Seth aggrottò la fronte.

«Perché dice così, signore?» domandò, confuso.

Il mendicante sorrise.

«Figliolo, la notte dell'incendio io non avevo ancora la tua età. Ed ero il più giovane della prigione. Quell'uomo, chiunque fosse, ora deve avere più di cento anni.»

Seth si portò le mani alle tempie, sconcertato.

«Un momento» disse. «La prigione non prese fuoco nel 1916?»

«1916?» rise di nuovo il vecchio. «Figliolo, ma da dove vieni? L'incendio di Curzon Fort avvenne all'alba del 26 aprile 1857. Esattamente settantacinque anni fa.»

Seth guardò a bocca aperta il mendicante, che studiava il suo viso con curiosità e una certa considerazione per lo sgomento che sembrava essersi impadronito di lui.

«Come ti chiami, figliolo?» chiese l'uomo.

«Seth, signore» rispose il ragazzo, livido.

«Mi spiace non esserti stato di aiuto, Seth.»

«Al contrario, lo è stato» rispose Seth. «Posso fare anch'io qualcosa per lei, signore?»

Gli occhi del mendicante brillarono al sole e un sorriso amaro gli affiorò alle labbra.

«Puoi riportare indietro il tempo, Seth?» chiese guardandosi il palmo delle mani.

Seth scosse lentamente la testa.

«Allora non puoi aiutarmi. E adesso torna dai tuoi amici. Ma non dimenticarmi mai.»

«Non la dimenticherò, signore.»

Il mendicante sorrise per l'ultima volta e, alzando la mano in segno di saluto, si voltò e tornò a immergersi nelle rovine della prigione distrutta. Seth lo guardò sparire tra le ombre e riprese il cammino sotto il sole ardente del mattino. Un velo di nubi nere sembrava avvicinarsi serpeggiando all'orizzonte, come una macchia di sangue che si sparge a poco a poco in uno stagno.

Michael si arrestò all'imbocco della strada che conduceva alla casa di Aryami Bose e guardò attonito i resti fumanti di quella che era stata la dimora della donna. La gente osservava silenziosa dal cortile gli uomini della polizia che frugavano tra le macerie e interrogavano i vicini. Michael si avvicinò e si fece strada nel circolo di curiosi e vicini costernati per l'incendio. Un ufficiale di polizia lo bloccò.

«Mi dispiace, ragazzo. Non si può passare» lo informò seccamente.

Michael lanciò un'occhiata dietro le spalle del poliziotto e vide due suoi colleghi sollevare una trave crollata dalla quale cadeva ancora una pioggia di braci.

«E la donna che vive in quella casa?» chiese.

Il poliziotto gli rivolse uno sguardo tra il sospettoso e l'infastidito.

«La conoscevi?»

«È la nonna di due miei amici» rispose Michael. «Dov'è? È morta?»

L'ufficiale lo osservò per qualche secondo senza cambiare atteggiamento e alla fine scosse la testa.

«Di lei non c'è traccia» rispose. «Uno dei vicini dice di aver visto qualcuno fuggire di corsa poco dopo che le fiamme avevano cominciato ad affacciarsi dal tetto. E adesso sparisci. Ti ho già detto più di quello che dovrei.»

«Grazie, signore» disse Michael, indietreggiando tra la marea umana che si affollava in attesa di eventuali macabre scoperte.

Una volta libero dalla turba di curiosi, esaminò le case vicine, alla ricerca di possibili indizi che suggerissero dove poteva essere fuggita l'anziana donna con il segreto che lui e Seth erano a stento riusciti a intravedere. Le due estremità della strada si perdevano nell'ammasso di case, bazar e palazzi della *città nera*. Aryami Bose poteva essere dovunque.

Il ragazzo considerò per qualche istante diverse possibilità e alla fine decise di dirigersi a ovest, verso le rive del fiume Hooghly. Lì, migliaia di pellegrini si immergevano nelle acque sacre del delta del Gange per chiedere al cielo la purificazione e ottenevano invece, perlopiù, febbri e malattie.

Senza voltarsi a guardare le rovine della casa distrutta dalle fiamme, Michael si incamminò sotto il sole, schivando la folla che riempiva le strade in una baraonda di mercanti, liti e preghiere non ascoltate. La voce di Calcutta. Alle sue spalle, a una ventina di metri, una figura avvolta in un mantello nero spuntò dall'angolo di un vicolo e cominciò a seguirlo tra la calca.

Ian aprì gli occhi alla luce del giorno con la chiara certezza che la sua insonnia perenne non sembrava disposta a concedergli più di qualche ora di tregua, in onore della fatica accumulata con gli avvenimenti delle ultime ore. A giudicare dalla consistenza della luce che inondava la stanza nella torre ovest della casa dell'ingegner Chandra, calcolò che doveva essere circa metà pomeriggio. L'ostinato appetito che l'aveva assalito all'alba gli fece di nuovo digrignare i denti. Come era solito dire Ben, parodiando le parole del maestro Tagore, il cui castello si trovava a pochi metri da lì, quando lo stomaco parla, l'uomo saggio lo ascolta.

Ian uscì dalla stanza con circospezione e verificò che Ben e Sheere si stavano ancora godendo un invidiabile riposo tra le braccia di Morfeo. Sospettò che, al risveglio, anche Sheere sarebbe stata pronta a gettarsi sulla prima cosa commestibile che le fosse capitata a tiro. Quanto a Ben, non c'erano dubbi. In quel momento il suo miglior amico stava sicuramente sognando un vassoio colmo di delizie culinarie e un sontuoso dessert di dolci di Chhana, un miscuglio di succo di limetta e latte bollito che faceva impazzire tutti i golosi del Bengala.

Cosciente del fatto che il sonno con lui era già stato più caritatevole di quanto si sarebbe aspettato, decise di avventurarsi all'esterno in cerca di provviste con cui placare il suo appetito e quello dei suoi compagni. Con un po' di fortuna, pensò, sarebbe stato di ritorno prima che entrambi avessero avuto il tempo di sbadigliare.

Attraversò la sala del grande plastico e si diresse verso la scala a chiocciola, notando soddisfatto che alla luce del giorno l'aspetto della casa risultava decisamente meno inquietante. Il primo piano rimaneva imperturbabile e Ian constatò che la casa era isolata dalla temperatura esterna con prodigiosa efficacia. Non faceva troppa fatica a immaginare la cappa di calore che doveva imporre la sua legge fuori da quelle mura, eppure la casa dell'ingegnere poteva dirsi situata nel paese dell'eterna primavera. Attraversò a passo leggero varie galassie calpestando il mosaico e aprì la porta che dava sull'esterno, confidando che non avrebbe dimenticato la combinazione dell'eccentrica serratura che sigillava il santuario privato di Chandra Chatterghee.

Il sole batteva senza misericordia sul fitto giardino, e la laguna, che la notte precedente gli era parsa una lamina di ebano levigato, rifletteva adesso intensi barbaglii sulla facciata della casa. Ian si diresse all'uscita del tunnel segreto sotto il ponte di legno e per un attimo si lasciò trasportare dall'illusione che, alla luce di un giorno d'estate luminoso e soffocante come quello, le minacce che durante la notte li avevano tormentati potessero svanire con la stessa facilità di un pupazzo di neve nel deserto.

Godendosi a pieno quella parentesi di tranquillità, si introdusse nel passaggio e, prima che il fetore acre dell'interno del tunnel gli invadesse i polmoni, uscì di nuovo attraverso la breccia che conduceva in strada. Una volta lì, lanciò mentalmente una moneta in aria e decise di iniziare la sua ricerca alimentare dirigendosi verso ovest.

Mentre si allontanava canticchiando lungo la strada deserta, non poteva immaginare che i quattro cerchi concentrici della serratura della casa avevano ricominciato a girare con infinita lentezza e che stavolta la parola di quattro lettere che avrebbero formato allineandosi sul loro asse verticale non era il nome Dido, ma quello di una figura mitologica molto più vicina: Kali.

Ben credette di sentire un rumore nel sonno e si svegliò nell'oscurità assoluta della stanza nella quale aveva riposato. La sua prima impressione, nello stordimento dei secondi che seguono il brusco risveglio dopo un sonno lungo e profondo, fu di perplessità, perché notò che era già buio: dovevano aver dormito per più di dodici ore. Un istante dopo, avvertendo di nuovo il colpo secco che credeva di aver sentito nel sonno, capì che non era la notte a impedire alla luce del giorno di penetrare nella stanza. Stava succedendo qualcosa in casa. Le imposte si stavano chiudendo con forza, come i portelli di una chiusa, ermeticamente. Ben saltò giù dal letto e corse verso la porta per cercare gli amici.

«Ben!» sentì Sheere gridare.

Quando aprì la porta, vide la sorella, immobile, che tremava. L'abbracciò e la portò via mentre guardava atterrito le finestre che si chiudevano, una alla volta, come palpebre di pietra.

«Ben» gemette Sheere. «Qualcosa è entrato nella stanza mentre dormivo e mi ha toccato.»

Ben sentì un brivido che gli correva lungo il corpo e condusse la sorella al centro della sala con il plastico della città. In un istante, intorno a loro si fece il buio assoluto. Ben strinse Sheere tra le braccia e le sussurrò di stare in silenzio mentre tentava di cogliere nell'oscurità qualche movimento. I suoi occhi non riuscirono a distinguere nessuna forma tra le ombre, ma entrambi sentirono benissimo il rumore che sembrava penetrare i muri e faceva pensare a centinaia di piccoli animali che correvano sotto il pavimento e dentro le pareti.

«Cosa succede, Ben?» sussurrò Sheere.

Suo fratello stava cercando una risposta quando un nuovo avvenimento gli rubò le parole. Le luci del plastico si stavano pian piano accendendo e i due ragazzi assistettero alla nascita di una Calcutta notturna sotto i loro occhi. Ben deglutì e sentì che Sheere si stringeva forte a lui. Al centro del plastico, il piccolo treno accese i fanali e le ruote cominciarono a girare lentamente.

«Andiamo via» mormorò Ben, guidando a tentoni la sorella verso la scala che portava al piano di sotto.

Prima che potessero fare un passo, Ben e Sheere videro un cerchio di fuoco aprire un foro nella porta della stanza in cui aveva dormito la ragazza e, in meno di un secondo, consumarla come un tizzone che attraversa un foglio di carta. Ben sentì i piedi inchiodarsi al pavimento, mentre due orme di fuoco si avvicinavano a grandi falcate.

«Corri di sotto» urlò, spingendo la sorella verso la scala. «Sbrigati!»

Sheere si precipitò giù in preda al panico e Ben restò immobile sulla traiettoria di quelle impronte fiammeggianti che avanzavano verso di lui a tutta velocità. Una ventata d'aria calda e impregnata della puzza di cherosene bruciato gli arrivò in faccia proprio mentre un'orma di fuoco si stampava a pochi centimetri dai suoi piedi. Due pupille rosse come ferro incandescente si accesero nell'oscurità e Ben sentì un artiglio di fuoco serrarsi sul suo braccio destro. Notò immediatamente che quella tenaglia gli polverizzava la stoffa della camicia fino a bruciargli la pelle.

«Non è ancora arrivata l'ora del nostro incontro» mormorò una voce metallica e cavernosa di fronte a lui. «Spostati.»

Prima che Ben potesse reagire, la mano ferrea che

lo ghermiva lo spinse con forza di lato e lo scaraventò a terra. Il ragazzo cadde su un fianco e si tastò il braccio ferito. Allora riuscì a vedere uno spettro incandescente che scendeva giù per la scala a chiocciola, distruggendola al suo passaggio.

Le urla di terrore di Sheere al piano di sotto gli diedero la forza di rimettersi in piedi. Corse verso la scala, che ormai era uno scheletro di sbarre di metallo avvolte dalle fiamme, e si accorse che i gradini erano scomparsi. Si lanciò nel vano della scaletta. Cadde sul mosaico del primo piano e una scossa di dolore gli attraversò il braccio straziato dal fuoco.

«Ben!» urlò Sheere. «Ti prego!»

Il ragazzo alzò gli occhi e vide Sheere che veniva trascinata sul pavimento di stelle brillanti, avvolta in un manto traslucido di fiamme, come la crisalide di una farfalla infernale. Si rialzò e la rincorse, seguendo le orme lasciate dal suo rapitore mentre si dirigeva verso il retro della casa, cercando di schivare i colpi furibondi delle centinaia di libri della biblioteca circolare che schizzavano via dagli scaffali e si smembravano in una pioggia di pagine infuocate. Uno dei colpi lo scagliò di nuovo a terra. Ben cadde a faccia in giù e batté la testa.

Gli si annebbiò la vista mentre osservava il visitatore di fuoco che si fermava per voltarsi a guardarlo. Sheere gridava in preda al panico, ma le sue urla non si sentivano più. Ben lottò per trascinarsi ancora qualche centimetro sul pavimento coperto di braci e tentò di non cedere all'impulso di lasciarsi vincere dal sonno e di abbandonare la resistenza. Un sorriso crudele e canino si disegnò di fronte a lui; nella massa confusa che trasformava il suo campo visivo in un acquarello appena dipinto, Ben riconobbe l'uomo che aveva visto nella locomotiva di quel treno fantasma che attraversava la notte. Jawahal.

«Quando sarai pronto, vieni pure a cercarmi» gli sussurrò lo spirito di fuoco. «Ormai sai dove trovarmi…»

Un attimo dopo, Jawahal afferrò di nuovo Sheere e attraversò con lei la parete sul retro della casa come se fosse una cortina di fumo. Prima di perdere i sensi, Ben sentì l'eco del treno che si allontanava.

«Sta tornando in sé» mormorò una voce a centinaia di chilometri di distanza.

Ben cercò di mettere a fuoco le macchie confuse che gli si agitavano davanti e ben presto riconobbe alcuni tratti familiari. Due mani lo sistemarono delicatamente sul pavimento e gli misero un oggetto morbido e confortevole sotto la testa. Ben sbatté più volte le palpebre. Gli occhi di Ian, arrossati e disperati, lo osservavano ansiosi. Insieme a lui c'erano Seth e Roshan.

«Ben, riesci a sentirci?» domandò Seth, il cui volto sembrava suggerire che non dormisse da una settimana.

Ben ricordò all'improvviso e tentò di alzarsi di scatto. Le mani dei tre ragazzi lo rimisero giù.

«Dov'è Sheere?» riuscì ad articolare.

Ian, Seth e Roshan si scambiarono uno sguardo cupo.

«Non è qui» si decise a rispondere Ian.

Ben sentì il mondo crollargli addosso e chiuse gli occhi.

«Cosa è successo?» chiese dopo un po', più sereno.

«Mi sono svegliato prima di voi» spiegò Ian «e ho deciso di uscire a cercare qualcosa da mangiare. Per strada ho incontrato Seth che stava venendo qui. Mentre tornavamo, abbiamo visto che tutte le finestre erano chiuse e che usciva fumo dall'interno. Siamo arrivati di corsa e ti abbiamo trovato privo di sensi. Sheere non c'era più.»

«L'ha portata via Jawahal.»

Ian e Seth si guardarono di sbieco.

«Che è successo? Cosa hai scoperto?»

Seth si portò le mani al fitto cespuglio di capelli e se lo scostò dalla fronte. Gli occhi lo tradivano.

«Non sono sicuro che quel Jawahal esista, Ben» affermò il robusto ragazzo. «Credo che Aryami ci abbia mentito.»

«Di cosa stai parlando?» chiese Ben. «Perché avrebbe dovuto farlo?»

Seth riassunse quello che aveva scoperto al museo con Mr De Rozio e spiegò che non esisteva menzione alcuna di Jawahal in tutta la documentazione del processo, tranne che in una lettera privata diretta all'ingegnere e firmata dal colonnello Llewelyn, che aveva insabbiato la vicenda per oscure ragioni. Ben ascoltò le rivelazioni con incredulità.

«Questo non prova niente» obiettò. «Jawahal è stato condannato e incarcerato. È fuggito sedici anni fa e allora sono iniziati i suoi delitti.»

Seth sospirò, scuotendo nuovamente la testa.

«Sono andato alla prigione di Curzon Fort, Ben» disse con tristezza. «Non ci sono stati né fughe né incendi sedici anni fa. Il penitenziario prese fuoco nel 1857. Jawahal non poteva essere stato lì né essere scappato da un carcere che non esisteva più da decenni quando si è tenuto il processo. Un processo nel quale lui non viene nemmeno citato. No, non quadra.»

Ben lo guardò a bocca aperta.

«Ci ha mentito, Ben» disse Seth. «Tua nonna ci ha mentito.»

«E dov'è adesso?»

«Michael la sta cercando» chiarì Ian. «Quando la troverà, la porterà qui.»

«E gli altri dove sono?» chiese Ben.

Roshan guardò indeciso Ian, e lui annuì con gravità.

«Diglielo» acconsentì.

Michael si fermò a guardare la bruma vespertina che ricopriva la sponda orientale dell'Hooghly. Decine di figure avvolte nelle tuniche bianche e logore si immergevano nelle acque del fiume e la somma delle loro voci si perdeva nel mormorio della corrente. Lo svolazzare dei colombi che battevano le ali al vento, innalzandosi nella giungla di palazzi e cupole scolorite e allineate davanti alla lastra di luce dell'Hooghly, faceva pensare a una Venezia delle tenebre.

«Sei tu che mi stai cercando?» disse l'anziana donna seduta a qualche metro da lui, con il volto nascosto da un velo.

Michael la guardò e la donna sollevò il velo. Gli

occhi tristi e profondi di Aryami Bose impallidirono al crepuscolo.

«Non abbiamo molto tempo, signora» disse il ragazzo. «Non più.»

Aryami annuì e si alzò lentamente. Michael le offrì il braccio e si incamminarono verso la casa dell'ingegner Chandra Chatterghee protetti dal tramonto.

I cinque ragazzi si riunirono in silenzio intorno ad Aryami Bose. Aspettarono con pazienza che si accomodasse e trovasse il momento opportuno per saldare il debito contratto quando aveva deciso di nascondere loro la verità. Nessuno osò dire nemmeno una parola prima di lei. L'angosciosa urgenza che li consumava interiormente si trasformò per un attimo in una calma tesa, in un'ombra di incertezza per il sospetto che il segreto custodito con tanta cura celasse una sfida impossibile.

Aryami osservò i volti dei ragazzi con profonda tristezza, poi abbozzò un accenno di sorriso che a stento le affiorò sulle labbra. Infine, abbassando gli occhi, sospirò piano e, fissandosi i palmi delle mani piccole e nervose, iniziò a parlare. Stavolta, però, ai ragazzi la sua voce sembrò priva dell'autorità e della determinazione che avevano imparato ad attendersi da lei. Alla fine del cammino, la paura aveva cancellato la forza d'animo che si sprigionava dalla sua persona, e i membri della Chowbar Society capirono che la donna che si stava rivolgendo a loro era soltanto un'anziana, debole e spaventata a morte, una bambina che aveva vissuto troppo.

«Prima di cominciare, permettetemi di dire che, se qualche volta nella mia vita ho mentito, e mi sono vista costretta a farlo in numerose occasioni, è stato sempre per proteggere qualcuno. Se stavolta ho mentito a voi, l'ho fatto con la certezza che così avrei protetto te, Ben, e tua sorella Sheere da qualcosa che forse avrebbe potuto farvi molto più male degli stratagemmi di un criminale impazzito. Nessuno sa quanto dolore mi abbia causato portare questo peso da sola fin dal giorno della vostra nascita. Tutto quello che vi dirò adesso sarà la verità, fin dove la conosco. Ascoltatemi bene e date per certo ciò che uscirà dalle mie labbra, anche se nulla è tanto terribile e difficile da credere quanto la nuda e cruda realtà dei fatti…

«Sembra che siano passati anni da quando vi ho raccontato la storia di mia figlia Kylian. Vi ho parlato di lei, della sua meravigliosa luminosità e di come, fra tutti i pretendenti, avesse scelto per marito un giovane di origini semplici e di grande talento, un ingegnere molto promettente, che però fin dall'infanzia portava sulle spalle un carico pesantissimo, un segreto che avrebbe finito per condurre alla morte lui e molti altri. E anche se vi sembrerà paradossale, per una volta consentitemi di iniziare il racconto dalla fine e non dal principio, per rispondere alle scoperte che così sagacemente avete fatto.

«Chandra Chatterghee fu sempre un sognatore, un uomo posseduto dalla visione di un futuro migliore e più giusto per la sua gente che vedeva morire in miseria per le strade di questa città. Nel frattempo, dietro i muri delle loro opulente case, quelli che lui considerava invasori e sfruttatori dell'eredità naturale del nostro popolo si arricchivano e conducevano una vita di lussi e frivolezze a spese della miseria di milioni di anime condannate alla povertà nel grande orfanotrofio a cielo aperto che è questo paese.

«Il suo sogno era dotare di uno strumento di progresso e di ricchezza la nazione, che secondo lui sarebbe riuscita a spezzare il giogo oppressore della corona inglese; uno strumento per aprire nuove vie di comunicazione fra le città, nuove enclave e nuove strade verso il futuro delle famiglie indiane. Aveva sempre sognato un'invenzione di ferro e di fuoco: la ferrovia. Per Chandra, i binari erano le arterie destinate a portare il nuovo sangue del progresso in questa terra, e per quelle arterie progettò un cuore che avrebbe pompato tutta quell'energia: il suo capolavoro, la stazione di Jheeter's Gate.

«Ma la linea che separa i sogni dagli incubi è sottile come un ago e ben presto le ombre del passato tornarono a presentare il conto. Un alto ufficiale dell'esercito britannico, il colonnello Arthur Llewelyn, aveva fatto una carriera fulminante, basata sulle sue gesta e i suoi massacri di innocenti, anziani e bambini, uomini disarmati e donne terrorizzate, in paesi e villaggi di tutta la regione del Bengala. Lì dove arrivava il messaggio di pace e di unione della nuova India, arrivavano i suoi fucili e le sue baionette. Un uomo di grande talento e di grande futuro, come proclamavano con orgoglio i suoi superiori. Un assassino con la bandiera della Corona e il potere del suo esercito nelle mani. Uno dei tanti.

«Llewelyn non tardò ad accorgersi del talento di Chandra e, senza troppi problemi, fece terra bruciata intorno a lui, bloccando tutti i suoi progetti. Nel giro di poche settimane, non c'era più una sola porta a Calcutta e provincia che gli venisse aperta. Tranne, naturalmente, quella di Llewelyn. Il colonnello gli propose di realizzare grandi opere per l'esercito, ponti, linee ferroviarie... Tutte queste offerte furono rifiutate da tuo padre, il quale preferì mantenersi con il misero compenso che gli editori di Bombay si degnavano di inviargli come elemosina in cambio dei suoi manoscritti. Con il tempo, la morsa di Llewelyn si allentò e Chandra ricominciò a lavorare al suo capolavoro.

«Con il passare degli anni, Llewelyn ritrovò la sua collera. La sua carriera era in pericolo e aveva urgente bisogno di un colpo a effetto, di un bagno di sangue fresco con cui rinnovare l'interesse delle gerarchie di Londra per le sue imprese e rinverdire così la sua fama di pantera del Bengala. La sua strategia era chiara: fare pressione su Chandra, ma stavolta con altre armi.

«Per anni aveva svolto indagini su tuo padre e i suoi sbirri avevano finito per fiutare le tracce dei delitti in cui era coinvolto Jawahal. Llewelyn fece in modo che il caso venisse a galla e, quando tuo padre era più impegnato che mai nel progetto di Jheeter's Gate, intervenne per insabbiarlo e minacciò di rivelare la verità se Chandra non avesse creato per lui una nuova arma, uno strumento letale di repressione capace di eliminare una volta per tutte gli ostacoli che pacifisti e indipendentisti seminavano sulla sua strada. Chandra dovette arrendersi e così vide la luce l'Uccello di Fuoco, una macchina capace di trasformare una città o un villaggio in un oceano di fiamme nel giro di pochi secondi.

«Chandra sviluppò parallelamente i progetti dell'Uccello di Fuoco e di Jheeter's Gate, sotto la costante pressione di Llewelyn, che intanto rischiava di diventare una figura ingombrante a causa della sua avidità e della diffidenza che cominciava a suscitare nei superiori. Colui che in altri tempi tutti avevano ritenuto un uomo sereno, equanime e ligio al dovere, si rivelava adesso una specie di maniaco morboso, il cui bisogno di successo e di riconoscimenti riduceva giorno dopo giorno le sue stesse possibilità di sopravvivenza.

«Chandra capì che la caduta di Llewelyn era solo questione di tempo e si prese gioco di lui. Gli fece credere che gli avrebbe consegnato il progetto prima del previsto. Ma quella mossa non fece altro che esacerbare l'esasperazione di Llewelyn e cancellò quel po' di senno che gli restava.

«Nel 1915, un anno prima dell'inaugurazione di Jheeter's Gate e della linea che da lì partiva, Llewelyn ordinò senza alcuna giustificazione una strage di persone disarmate e venne espulso dall'esercito britannico dopo uno scandalo che arrivò perfino alla Camera dei Comuni. La sua stella non avrebbe mai più brillato.

«Fu l'inizio della sua follia. Riunì un gruppo di ufficiali che gli erano rimasti fedeli e che, proprio come lui, erano stati degradati e costretti a lasciare l'esercito. Con quella banda di macellai organizzò un sinistro gruppo paramilitare che operava clandestinamente. Indossavano tutti grottescamente le loro vecchie uniformi e decorazioni e si riunivano nella ex residenza di Llewelyn, fingendo di formare un'unità segreta di élite che non avrebbe tardato a rimuovere dai rispettivi incarichi coloro che avevano firmato i decreti di espulsione nei loro confronti. Inutile dire che Llewelyn non ammise mai di essere stato inquisito e degradato. Diceva infatti che lui e i suoi collaboratori si erano dimessi per fondare un nuovo ordine militare.

«Ben presto tuo padre cominciò a ricevere minacce di morte per sé e per la moglie, che era incinta. Gli intimavano di consegnare l'Uccello di Fuoco. Trattandosi ormai di un affare clandestino, Chandra doveva muoversi con grande circospezione. Se avesse sollecitato l'aiuto dell'esercito, il suo passato avrebbe finito per venire allo scoperto. Non gli restava altra scelta che scendere a patti con Llewelyn e i suoi uomini.

«In quel clima di tensione, due giorni prima della data prevista per l'inaugurazione della stazione, e non dopo, come vi avevo detto, Kylian diede alla luce due gemelli. Un maschio e una femmina. Tu e tua sorella Sheere.

«La sera dell'inaugurazione di Jheeter's Gate era previsto un viaggio simbolico. Il primo treno in partenza sulla linea Calcutta-Bombay avrebbe trasportato 365 bambini senza famiglia, uno per ogni giorno dell'anno, diretti agli orfanotrofi di quella città. Chandra fece a Llewelyn e ai suoi uomini la seguente proposta: avrebbe caricato l'Uccello di Fuoco sul treno e, approfittando di una sosta tecnica una cinquantina di chilometri dopo la partenza, all'altezza di Bishnupur, i militari avrebbero potuto impadronirsene. Llewelyn accettò. Chandra aveva in mente di rendere inutilizzabile il congegno e disfarsi dell'ex colonnello e dei suoi uomini prima che il treno facesse risuonare il suo fischio. Ma Llewelyn, in segreto, diffidava di quell'accordo e ordinò ai suoi di muoversi in anticipo.

«Tuo padre aveva dato appuntamento ai militari all'interno della stazione, un vero labirinto che solo lui conosceva, e con il pretesto di mostrare loro l'Uccello di Fuoco li fece entrare nei tunnel. Llewelyn, sospettando qualcosa di simile, aveva preso le sue precauzioni e, prima di andare all'appuntamento, aveva sequestrato vostra madre e voi. Quando Chandra si preparava a eliminare i suoi ricattatori, Llewelyn gli rivelò che eravate in suo potere e minacciò di uccidervi se non gli fosse stato consegnato l'Uccello di Fuoco. Chandra non poté fare altro che arrendersi. Ma neanche quello bastò a Llewelyn. Lo fece incatenare alla locomotiva in attesa di farlo a pezzi all'inizio del viaggio e proprio lì, davanti ai suoi occhi, affondò a sangue freddo un coltello nella gola di Kylian. Poi la lasciò dissanguare lentamente appesa con una fune alla volta centrale della stazione. Intanto, giurava che avrebbe abbandonato voi due nelle gallerie per farvi divorare dai topi.

«Dopo aver lasciato Chandra incatenato alla locomotiva, ordinò ai suoi uomini di mettere in moto il treno e di portare via l'Uccello di Fuoco. Nel frattempo, lui vi avrebbe nascosti in un tunnel dove nessuno avrebbe mai potuto trovarvi. Tuttavia, qualcosa non andò secondo i suoi piani. Sopravvalutando la propria astuzia, quello stupido di Llewelyn pensò che Chandra Chatterghee avrebbe messo senza problemi in mano a un assassino come lui una macchina con il potere distruttivo dell'Uccello di Fuoco. Vostro padre invece aveva spinto le sue precauzioni all'estremo, dotando l'Uccello di Fuoco di un meccanismo segreto a orologeria che soltanto lui conosceva. Un meccanismo che in pochi secondi avrebbe scatenato su se stesso tutto il potere distruttivo del marchingegno se una mano diversa dalla sua avesse tentato di azionarlo.

«Quando Llewelyn e la sua corte di sgherri salirono a bordo, il leader del gruppo decise che, in segno di saluto e come anticipo della vendetta che meditava di infliggere alla città una volta preso il controllo di quella letale invenzione, avrebbe distrutto la stazione e consentito al fuoco di farla finita con l'opera di Chandra e le vite di quanti si erano radunati per assistere all'inaugurazione del prodigio. Così, quando Llewelyn accese l'Uccello di Fuoco, firmò la condanna a morte di tutti coloro che si trovavano a bordo di quel treno, compresa la propria. Cinque minuti più tardi, l'inferno si scatenò all'interno della stazione, portando tra le sue fiamme i corpi e le anime di colpevoli e innocenti, senza distinzione.

«Vi chiederete quali sono le risposte e perché vi ho mentito riguardo alla prigione dove fu incarcerato Jawahal, o il motivo per cui il suo nome non è stato mai menzionato. Prima di continuare, e questa è la cosa più importante che vi dirò, dovete capire che, qualsiasi cosa vi capiterà di ascoltare, Chandra è stato un grand'uomo. Ha amato sua moglie e avrebbe amato i suoi figli se ne avesse avuto l'opportunità che invece non gli fu mai data. Detto questo, ora saprete la verità.

«Quando tuo padre da giovane si ammalò a causa delle febbri, non finì in una capanna sul fiume, dove un ragazzo se ne prese cura finché non guarì, come vi ho detto la prima volta. Fu allevato in una istituzione che ancora esiste al sud di Calcutta e che porta il nome di Grant House. Voi siete troppo giovani per averla sentita nominare, ma un tempo fu tristemente famosa. Grant House è il luogo dove vostro padre arrivò dopo aver assistito a qualcosa di terribile quando aveva appena sei anni. Sua madre, una donna molto malata, che viveva vendendo il suo corpo per qualche misera elemosina, si diede fuoco sotto i suoi occhi offrendosi in sacrificio alla dea Kali. Grant House, il luogo in cui crebbe Chandra, era una casa di cura, quello che voi chiamereste un manicomio...

«Per anni visse confinato in quelle corsie, senza altri genitori o amici se non le persone che vivevano nel delirio e nella sofferenza. Persone che dicevano di essere demoni, dèi o angeli, per poi dimenticare il proprio nome il giorno dopo. Quando, come voi, ebbe l'età per uscire da lì, Chandra non aveva avuto altra infanzia che l'orrore e la miseria più profonda che gli occhi di un uomo avessero potuto contemplare nella città di Calcutta.

«Inutile dirvi che non è mai esistito un amico sinistro che ha commesso quei crimini e che non ci fu altra ombra nella vita di tuo padre se non quella del parassita che gli si era infiltrato nella mente. Furono le sue mani a commettere quei delitti, il cui rimorso lo perseguitava e la cui vergogna ricadeva su di lui come una maledizione.

«Solo la bontà e la luminosità di Kylian lo curarono e gli restituirono la capacità di riappropriarsi del suo destino. Insieme a lei scrisse i libri che conoscete, progettò le opere che lo resero immortale e allontanò il fantasma della sua doppia vita. L'ambizione degli uomini, però, non volle concedergli una possibilità e la promessa di una vita felice e prospera precipitò di nuovo nelle tenebre. Ma stavolta per sempre.

«La notte in cui Lahawaj Chandra Chatterghee fu costretto ad assistere all'assassinio della moglie, gli anni dell'orrore della sua infanzia cominciarono a seguirlo come cani da fiuto e lo catapultarono di nuovo nel suo inferno privato. Aveva costruito tutta la sua vita su quel piedistallo che ora vedeva crollare. E mentre le fiamme lo divoravano, morì nella convinzione di essere l'unico colpevole di quella tragedia e di meritare quel castigo.

«Perciò, quando Llewelyn accese l'Uccello di Fuoco e le fiamme invasero i tunnel e la stazione, un'ombra cupa in fondo all'anima di Chandra giurò che un giorno sarebbe ritornato dalla morte. E sarebbe tornato come un angelo di fuoco. Un angelo sterminatore e vendicatore. Un angelo che avrebbe incarnato il lato oscuro della sua personalità. Non è un assassino quello che vi insegue. Non è neanche un uomo. È uno spettro. Uno spirito. O, se preferite, un demonio.

«Tuo padre ha sempre amato i rompicapo, fino alla fine. Mi avete parlato di un disegno del vostro amico Michael, il ritratto nel quale apparite tutti riflessi in uno stagno. E l'immagine dei vostri volti sull'acqua risulta rovesciata. Sembra quasi che la matita di Michael sia stata profetica. Se provaste a scrivere il nome che sua madre gli diede al momento della nascita, Lahawaj, il riflesso nello stagno vi restituirebbe un'altra parola: Jawahal.

«Lo spirito tormentato di Jawahal vive da quel giorno insieme alla macchina infernale che lui stesso creò e che, al momento della sua morte, gli diede vita eterna come uno spettro delle tenebre. Lui e l'Uccello di Fuoco sono una cosa sola. Quella è la sua maledizione: l'unione tra uno spirito di rabbia e una macchina di distruzione. Un'anima di fuoco prigioniera nelle caldaie di quel treno in fiamme. E adesso quell'anima cerca una nuova casa.

«Per questo vi insegue, perché quando raggiungete l'età adulta lo spirito di Jawahal ha bisogno di uno dei suoi figli per continuare a vivere, per abitare nel suo corpo ed estendere così il proprio potere anche al mondo dei vivi. Solo uno di voi può sopravvivere. L'altro, quello nella cui anima si anniderà lo spirito di Jawahal, deve morire perché lui possa continuare a vivere. Sedici anni fa giurò che vi avrebbe cercato e vi avrebbe fatti suoi. E ha sempre mantenuto le sue promesse. In vita, e anche dopo. Dovete essere consapevoli che, mentre vi rivelo questi fatti, Jawahal ha già scelto uno dei due per ospitare la sua anima maledetta. Soltanto lui sa chi è il prescelto.

«La provvidenza ha voluto concedervi una possibilità quando, sedici anni fa, il tenente Peake si introdusse nel labirinto delle gallerie di Jheeter's Gate e scoprì il corpo senza vita di Kylian sospeso nel vuoto sopra una pozza del suo sangue. Il tenente sentì il vostro pianto e, mettendo a tacere il proprio dolore, vi cercò e vi strappò dalle mani dello spirito di vostro padre. Ma non riuscì a fare molta strada. I suoi passi lo condussero alla mia porta, dove fu costretto a lasciarvi per poi fuggire di nuovo.

«Quando un giorno dovrai raccontare questa storia a tua sorella Sheere, non dimenticare mai e poi mai che lo spirito vendicatore che quella notte è tornato dalle fiamme di Jheeter's Gate e che ha ucciso il tenente Peake mentre tentava di salvarvi la vita non era tuo padre. Tuo padre è morto nell'incendio, tra le anime innocenti dei bambini. Chi è tornato dall'inferno per distruggere se stesso, il frutto del suo matrimonio e la sua opera, è soltanto uno spettro. Uno spirito consumato dal demone del rancore, dell'odio e dell'orrore seminati dagli uomini nel suo cuore. Questa è la verità, e nulla e nessuno potrà mai cambiarla.

«Se esiste un Dio, o centinaia di divinità, spero che mi perdonino per il dolore che forse vi ho inflitto narrandovi i fatti esattamente come sono accaduti...»

Cosa posso dire? Quali parole potrei trovare per esprimere la tristezza che lessi quel pomeriggio di maggio negli occhi di Ben, il mio migliore amico? La ricerca nel passato ci aveva impartito una severa lezione e ci aveva rivelato la vita come un libro di cui era preferibile non sfogliare le pagine all'indietro; un cammino nel quale non importava la direzione che avremmo preso, perché non avremmo mai potuto scegliere il nostro destino. Desiderai di essere già sulla nave che doveva portarmi lontano e che sarebbe partita il giorno successivo. Dentro di me, la vigliaccheria si fondeva con il dolore che provavo per il mio amico e con l'amaro sapore della verità.

Tutti ascoltammo in silenzio il racconto di Aryami e nessuno di noi osò formulare una sola domanda, anche se ce ne frullavano in testa a centinaia. Sapevamo che alla fine tutte le linee del nostro destino confluivano in un punto, un appuntamento che ci aspettava inesorabilmente nelle tenebre di Jheeter's Gate al calar della sera.

Quando uscimmo all'aria aperta, le ultime luci del giorno si spegnevano in una fascia scarlatta stesa sull'azzurro

profondo delle nubi del Bengala. Una pioggerellina legge-
ra impregnò i nostri visi mentre imboccavamo il binario
morto che partiva dal cortile sul retro della casa di Laha-
waj Chandra Chatterghee verso la grande stazione sull'al-
tra sponda del fiume Hooghly, percorrendo la zona occi-
dentale della città nera.

Ricordo che, poco prima di attraversare il ponte di fer-
ro sull'Hooghly che conduceva direttamente nelle fau-
ci di Jheeter's Gate, Ben ci fece promettere con le lacrime
agli occhi che mai, per nessuna ragione, avremmo rive-
lato quanto avevamo appena sentito. Giurò che se Shee-
re avesse saputo da uno di noi la verità sul padre, sul mi-
raggio che aveva alimentato la sua vita sin dall'infanzia,
lo avrebbe ammazzato con le sue stesse mani. Tutti ci im-
pegnammo a mantenere il segreto.

Ormai rimaneva soltanto un tassello per completare la
nostra storia: la guerra…

Il nome della mezzanotte

Calcutta, 29 maggio 1932

L'ombra del temporale precedette l'arrivo della mezzanotte e stese lentamente un manto vasto e plumbeo su una Calcutta che si illuminava come un sudario insanguinato a ogni esplosione della furia elettrica custodita nel suo seno. Il fragore della tempesta imminente disegnava nel cielo un immenso ragno di luce che sembrava tessere la sua tela sulla città. Nel frattempo, la forza del vento del nord spazzava via la nebbia sul fiume Hooghly e metteva a nudo nella notte ormai fonda lo scheletro devastato del ponte di ferro.

La sagoma di Jheeter's Gate si stagliò nella nebbia che si diradava. Un fulmine colpì la guglia sulla cupola centrale della stazione, scindendosi in un'edera di luce azzurrata che percorse il reticolo di archi e di travi d'acciaio fino alle fondamenta.

I cinque ragazzi si fermarono all'inizio del ponte: soltanto Ben e Roshan fecero qualche passo verso la stazione. I binari disegnavano un sentiero diritto fiancheggiato da due linee argentate che sprofondavano nella bocca di Jheeter's Gate. La luna si nascose dietro il manto di nuvole e la città sembrò restare sotto la protezione dell'unica luce di una lontana candela azzurrina.

Ben esaminò con cautela il ponte in cerca di fessure o crepe che potessero spedirli direttamente nella corrente notturna del fiume, ma non si riusciva a intravedere altro che il tracciato rilucente dei binari tra la vegetazione e le macerie. Il vento portava dall'altra sponda del fiume un rumore soffuso. Ben guardò Roshan che scrutava nervoso le fauci oscure della stazione. Poi Roshan si avvicinò ai binari e si accovacciò, senza mai staccare lo sguardo da Jheeter's Gate. Appoggiò il palmo della mano sulla superficie di un binario e la ritirò immediatamente, come se avesse preso la scossa.

«Sta vibrando» disse impaurito. «Come se stesse arrivando un treno.»

Ben si avvicinò e tastò la lunga striscia di metallo. Roshan lo guardò, ansioso.

«È la corrente che fa vibrare il ponte» lo tranquillizzò. «Non c'è nessun treno.»

Seth e Michael si affiancarono a loro, mentre Ian si accovacciava per allacciarsi le scarpe con un doppio nodo, un rituale che riservava alle situazioni nelle quali i suoi nervi diventavano cavi d'acciaio.

Ian alzò lo sguardo e sorrise timidamente a Ben, senza mostrare neanche un po' della paura che provava, proprio come tutti gli altri.

«Stanotte il nodo è meglio farlo triplo» scherzò Seth.

Ben sorrise e i membri in attività della Chowbar Society si scambiarono uno sguardo d'attesa. Un attimo dopo, tutti imitarono Ian e rinforzarono i nodi delle scarpe, aggrappandosi a quella specie di talismano che aveva dato sempre buoni risultati al loro compagno in altre situazioni.

Poco dopo formarono una fila indiana aperta da Ben e chiusa da Roshan in retroguardia e si inoltrarono con precauzione sul ponte. Ben, consigliato da Seth, stette bene attento a camminare vicino ai binari, dove la struttura era più solida. In pieno giorno era facile evitare le assi rotte e vedere in anticipo i tratti che avevano ceduto al passare del tempo e adesso pendevano come scivoli diretti al centro del fiume, ma a mezzanotte, e sotto le nuvole del temporale che si approssimava, il percorso si trasformava in un bosco infestato di trappole nel quale bisognava avanzare quasi passo dopo passo, tastando il terreno.

Non avevano fatto neppure una cinquantina di metri, forse un quarto del tragitto, quando Ben si fermò e alzò una mano facendo segno agli altri di imitarlo. I suoi compagni guardarono avanti senza capire. Per un istante rimasero in silenzio, immobili sulle travi che tremavano come gelatina per l'impeto del fiume che ruggiva sotto i loro piedi.

«Che succede?» chiese Roshan dal fondo della fila. «Perché ci siamo fermati?»

Ben indicò Jheete. 's Gate e tutti videro due arterie di fuoco che si facevano strada verso di loro a gran velocità lungo i binari.

«Buttatevi di lato!» gridò Ben.

I cinque ragazzi si gettarono a terra e le due pareti di fuoco tagliarono l'aria accanto a loro con la rabbia di due coltelli di gas infuocato. Il loro passaggio produsse un intenso effetto di risucchio, trascinò via pezzi della struttura e seminò una scia di fiamme sul ponte.

«State tutti bene?» domandò Ian, rialzandosi e constatando che i suoi vestiti fumavano ed emettevano vapore.

Gli altri annuirono in silenzio.

«Approfittiamo per attraversare il ponte prima che si spengano le fiamme.»

«Ben, credo ci sia qualcosa sotto il ponte» osservò Michael.

Gli altri deglutirono. Uno strano picchiettio proveniva da sotto la lastra di metallo ai loro piedi. Il ricordo degli artigli di acciaio si illuminò nella mente di Ben.

«Di certo non resteremo qui per scoprire cos'è» replicò il ragazzo. «Svelti.»

I membri della Chowbar Society affrettarono il passo e seguirono Ben zigzagando lungo il ponte fino all'estremità opposta, senza fermarsi a guardare indietro. Quando toccarono di nuovo la terraferma a pochi metri dall'entrata della stazione, Ben si voltò e fece segno ai compagni di allontanarsi dalla struttura di metallo.

«Che cos'era?» chiese Ian dietro di lui.

Ben scrollò le spalle.

«Guardate!» esclamò Seth. «Al centro del ponte!»

Gli sguardi di tutti si concentrarono su quel punto. I binari stavano acquistando una tonalità rossastra che si irradiava in entrambe le direzioni e sprigionava un leggero alone fumante. Nel giro di pochi secondi, cominciarono a incurvarsi. L'intera struttura del ponte prese a sgocciolare grosse lacrime di metallo fuso che cadevano sull'Hooghly e producevano esplosioni violente nell'impatto con la corrente fredda.

I cinque ragazzi assistettero paralizzati allo sconvolgente spettacolo di una struttura di acciaio lunga oltre duecento metri che si scioglieva sotto i loro occhi, come un pezzo di burro in una padella bollente. La luce ambrata del metallo liquido si immerse nel fiume e tracciò una densa pennellata sui volti dei cinque amici. Alla fine, il rosso incandescente cedette il passo a un tono metallico opaco, e le due estremità si abbatterono sul fiume come due salici di acciaio colti nella contemplazione della propria immagine.

Il rumore furioso dell'acciaio che sfrigolava facendo scintille nell'acqua si acquietò a poco a poco. Allora i cinque ragazzi sentirono alle loro spalle la voce dell'antica sirena della stazione di Jheeter's Gate graffiare la notte di Calcutta per la prima volta dopo sedici anni. Senza dire una parola, si voltarono e varcarono la frontiera che li separava dal fantasmagorico scenario della partita che si preparavano a giocare.

Isobel aprì gli occhi per l'urlo della sirena che percorreva i tunnel imitando l'allarme di un bombardamento. Aveva le mani e i piedi legati saldamente a due lunghe sbarre di metallo arrugginito. L'unico chiarore che riusciva a percepire filtrava dalla grata di uno sfiatatoio situato proprio sopra di lei. L'eco della sirena si perse lentamente...

All'improvviso sentì che qualcosa si trascinava verso il foro della botola. Guardò lo spiraglio di luce e notò che il rettangolo di luce diventava scuro mentre la botola si apriva. Strinse gli occhi e trattenne il respiro. La chiusura dei ganci metallici che le immobilizzavano mani e piedi saltò con uno schiocco e la ragazza avvertì una mano dalle lunghe dita afferrarla alla base del collo e sollevarla in verticale attraverso la botola. Non poté evitare di urlare terrorizzata quando il suo sequestratore la scagliò contro la parete del tunnel come un peso morto.

Aprì gli occhi e vide una sagoma alta e nera, immobile di fronte a lei, una figura senza volto.

«Qualcuno è venuto a cercarti» mormorò il volto invisibile. «Non facciamolo aspettare.»

All'istante, due pupille incandescenti si accesero su quel viso, come fiammiferi ardenti nell'oscurità. La figura l'afferrò per un braccio e la trascinò attraverso il tunnel. Dopo quelle che le parvero ore di un angosciante percorso nel buio, Isobel scorse il profilo spettrale di un treno fermo nell'ombra. Si lasciò trascinare fino al vagone di coda e non oppose resistenza quando fu spinta con forza all'interno, dove restò rinchiusa.

Era caduta a faccia in giù sulla superficie carbonizzata del vagone e avvertì una dolorosa fitta al ventre. Un qualche oggetto le aveva procurato un taglio di diversi centimetri. Gemette. Il terrore si impadronì totalmente di lei quando sentì che delle mani l'afferravano e cercavano di girarla. Gridò e si trovò di fronte il volto sudicio ed esausto di quello che pareva essere un ragazzo ancora più spaventato di lei.

«Sono io, Isobel» mormorò Siraj. «Non avere paura.»

Per la prima volta nella vita, Isobel lasciò che le lacrime scorressero senza freno davanti a Siraj e abbracciò il corpo debole e ossuto dell'amico.

Ben e i suoi compagni si fermarono ai piedi dell'orologio con le lancette fuse che sovrastava la banchina principale di Jheeter's Gate. Intorno a loro si estendeva un ampio e insondabile scenario di ombre e luci spigolose che entravano dal lucernario di vetro e acciaio e che lasciavano intravedere tracce di quella che un tempo era stata la più sontuosa stazione mai sognata, una cattedrale di ferro eretta in onore del dio delle ferrovie.

Osservandola da lì, i cinque ragazzi riuscirono a immaginare l'aspetto che Jheeter's Gate doveva avere avuto prima della tragedia: una maestosa volta luminosa sorretta da archi invisibili che sembravano sospesi nel cielo e che coprivano file e file di banchine allineate in curva, come onde disegnate da una moneta in uno stagno. Grandi tabelloni che annunciavano le partenze e gli arrivi dei treni. Lussuosi chioschi in ferro battuto e rilievi vittoriani. Scalinate sontuose che salivano verso i piani superiori lungo condotti di vetro e acciaio e creavano corridoi sospesi in aria. Una moltitudine di persone che camminavano nelle sale e salivano sui lunghi treni espresso che le avrebbero portate in ogni angolo del paese... Di tutto quello splendore restava poco più che un antico riflesso spezzato, trasformato nell'avvisaglia di quell'inferno che i suoi tunnel sembravano promettere.

Ian fissò le lancette dell'orologio, deformate dalle fiamme, e tentò di immaginare le dimensioni dell'incendio. Seth gli si avvicinò, ma entrambi evitarono commenti.

«Dovremmo dividerci in gruppi di due per continuare la nostra ricerca. Questo posto è immenso» suggerì Ben.

«Non credo sia una buona idea» replicò Seth, che non riusciva a togliersi dalla mente l'immagine del ponte che crollava in acqua.

«Anche se decidessimo di farlo, siamo solo in cinque» fece notare Ian. «Chi va da solo?»

«Io» rispose Ben.

Gli altri lo osservarono con un misto di sollievo e di preoccupazione.

«Continuo a pensare che non sia una buona idea» ribadì Seth.

«Ben ha ragione» intervenne Michael. «Da quello che abbiamo visto finora, poco importa se siamo cinque o cinquanta.»

«Uomo di poche parole, ma sempre incoraggianti...» commentò Roshan.

«Michael» suggerì Ben, «tu e Roshan potete controllare gli altri piani. Ian e Seth si occuperanno di questo.»

Nessuno sembrava disposto a mettere in discussione la ripartizione dei compiti. Apparivano tutti assai poco appetibili.

«E tu, dove pensi di cercare?» chiese Ian, intuendo la risposta.

«Nei tunnel.»

«A una condizione...» disse Seth, tentando di imporre un po' di buon senso.

Ben annuì.

«Senza eroismi né stupidaggini» spiegò Seth. «Il primo che trova un indizio si ferma, segna il posto e torna a cercare gli altri.»

«Sembra ragionevole» convenne Ian.

Michael e Roshan annuirono di buon grado.

«Ben?» sollecitò Ian.

«D'accordo» mormorò il ragazzo.

«Non abbiamo sentito» insisté Seth.

«Promesso» disse Ben. «Ci troviamo qui fra mezz'ora.»

«Che il cielo ti ascolti» concluse Seth.

Nella memoria di Sheere le ultime ore si trasformarono in pochi secondi, nei quali la sua mente parve soccombere agli effetti di una potente droga che le aveva obnubilato i sensi e l'aveva precipitata in un abisso senza fondo. Ricordava vagamente gli sforzi vani per liberarsi dalla pressione implacabile di quella figura ignea che l'aveva trascinata attraverso un interminabile reticolo di condotti più scuri della mezzanotte. Ricordava pure, come una scena tratta da un episodio lontano e confuso, il volto di Ben che si dibatteva sul pavimento di una casa i cui contorni le risultavano familiari, anche se ignorava quanto tempo fosse trascorso da allora. Forse un'ora, una settimana o un mese.

Quando recuperò la consapevolezza del proprio corpo e dei lividi che la lotta vi aveva lasciato, Sheere comprese che era sveglia già da qualche secondo e che lo scenario attorno a lei non faceva parte del suo incubo. Si trovava all'interno di una stanza lunga e profonda, fiancheggiata da due file di finestre attraverso le quali si avventurava un certo chiarore lontano che permetteva di intuire i resti di quello che sembrava uno stretto salone. Gli scheletri distrutti di tre piccoli lampadari di cristallo pendevano dal soffitto come arbusti secchi. I frammenti di uno specchio scheggiato brillavano nella penombra dietro un bancone il cui aspetto faceva pensare a un bar di lusso. Un bar di lusso, ma divorato da una spietata furia incendiaria.

Cercò di tirarsi su e, mentre verificava che la catena che le legava i polsi dietro la schiena era assicurata a una sottile tubatura, capì istintivamente dove si trovava: all'interno di un treno fermo nelle gallerie sotterranee di Jheeter's Gate. L'oscura certezza del luogo in cui era prigioniera fu come una doccia d'acqua gelata che la risvegliò dal torpore e dallo stordimento che pesavano sulla sua mente.

Aguzzò la vista e cercò, nel confuso ammasso di tavolini caduti e tra i resti dell'incendio, qualche attrezzo che potesse servirle per liberarsi dalle catene. L'interno del vagone devastato non sembrava contenere altro che vestigia carbonizzate e inservibili, miracolosamente sopravvissute. Cercò di divincolarsi, esasperata, senza ottenere altro risultato che un indurimento della stretta che la teneva bloccata.

Di fronte a lei, a un paio di metri, una massa nera che all'inizio aveva preso per un mucchio di macerie si voltò di scatto, con la velocità di un grande felino rimasto immobile fino a quel momento. Un sorriso luminoso si accese su un volto invisibile nell'ombra. Il cuore le balzò in gola e la figura si avvicinò a meno di un palmo dal suo viso. Gli occhi di Jawahal splendevano come braci al vento e Sheere percepì il fetore acido e penetrante della benzina bruciata.

«Benvenuta in quello che resta della mia casa, Sheere» mormorò Jawahal con freddezza. «È così che ti chiami, vero?»

Sheere annuì, paralizzata dal terrore che le ispirava quella presenza.

«Non hai nulla da temere da me» disse Jawahal.

La ragazza trattenne le lacrime che lottavano per sfuggire al suo controllo; non pensava di arrendersi così in fretta. Strinse forte gli occhi e respirò affannosamente.

«Guardami quando ti parlo» disse Jawahal con un tono che le gelò il sangue.

Sheere aprì gli occhi lentamente e vide con orrore la mano di Jawahal che si avvicinava al suo viso. Le lunghe dita, protette da un guanto nero, le accarezzarono la guancia e scostarono con estrema delicatezza le ciocche di capelli che le cadevano sulla fronte. Gli occhi del sequestratore parvero offuscarsi per un attimo.

«Le somigli tanto...» sussurrò.

Di colpo la mano si ritrasse come un animale impaurito, e Jawahal si rialzò. Sheere sentì che le catene dietro la schiena si allentavano e le mani si liberavano.

«Alzati e seguimi» ordinò lui.

Sheere obbedì docilmente e lasciò che Jawahal le mostrasse la strada. Non appena la sagoma scura la precedette di un paio di metri tra le macerie, si mise a correre in direzione opposta con tutta la velocità che i suoi muscoli intorpiditi le permettevano. Attraversò precipitosamente il vagone e si lanciò contro la porta che separava due carrozze del convoglio, collegate da una piccola piattaforma scoperta. Appoggiò la mano sulla maniglia di acciaio annerito e premette con forza. Il metallo cedette come argilla fresca e Sheere lo osservò attonita trasformarsi in cinque dita affilate che le afferrarono il polso. Lentamente, la lamiera della porta si piegò su se stessa e prese la forma di una statua brillante dal cui volto liscio emersero i lineamenti di Jawahal. Le ginocchia le cedettero e cadde prostrata davanti a lui. Jawahal la sollevò in aria e la ragazza riuscì a leggere l'ira contenuta nei suoi occhi.

«Non cercare di sfuggirmi, Sheere. Molto presto io e te saremo un unico essere. Non sono tuo nemico. Sono il tuo futuro. Passa dalla mia parte o, in caso contrario, ecco cosa ti succederà.»

Jawahal raccolse dal pavimento i resti di un bicchiere rotto, lo strinse fra le dita e premette con forza. Il cristallo gli si sciolse nel pugno e sparse spesse gocce di vetro liquido che caddero sulla superficie del vagone formando uno specchio di fiamme tra le macerie. Jawahal lasciò Sheere e la fece cadere a pochi centimetri dal vetro fumante.

«E adesso, fai quello che ti ho detto.»

Seth si accovacciò davanti a quella che sembrava una lamina brillante sul pavimento della zona centrale della stazione e la tastò con i polpastrelli. Il liquido era tiepido, denso e aveva la consistenza dell'olio versato.

«Ian, vieni a vedere.»

Il ragazzo si avvicinò e si accovacciò accanto a lui. Seth gli mostrò le dita impregnate di quella sostanza viscosa. Ian inumidì la punta dell'indice e, dopo averne verificato la densità sfregandola contro il pollice, l'annusò.

«È sangue» diagnosticò l'aspirante medico.

Seth impallidì improvvisamente e si pulì con impazienza le dita sui pantaloni.

«Isobel?» chiese Ian, allontanandosi dalla pozza e reprimendo la nausea che gli saliva dalla bocca dello stomaco.

«Non lo so» rispose Ian, sconcertato. «È recente, o almeno sembra.»

Si alzò e osservò il contorno della vasta macchia scura.

«Non ci sono tracce intorno. E neanche impronte» mormorò.

Seth lo guardò, senza comprendere la portata di quelle affermazioni.

«Chiunque avesse perso tutto quel sangue non sarebbe potuto andare molto lontano senza lasciare qualche traccia» spiegò Ian. «Neanche se lo avessero trascinato via. Non ha senso.»

Seth soppesò la teoria dell'amico e girò attorno alla pozza di sangue, confermando l'osservazione che per parecchi metri tutt'intorno non c'erano tracce o orme che partissero da lì. I due amici si riunirono e si scambiarono uno sguardo di stupore. D'improvviso, un'ombra di incertezza si affacciò negli occhi di Ian, e Seth colse al volo l'idea che era appena passata per la mente dell'amico. Lentamente, alzarono tutti e due la testa e guardarono verso la volta che si innalzava nell'oscurità.

Ian e Seth scrutarono le ombre che sovrastavano l'ampia sala e il loro sguardo si soffermò sulla struttura di un grande lampadario di cristallo che pendeva al centro. A una delle estremità, una corda bianca sorreggeva un corpo avvolto in un manto brillante che oscillava piano nel vuoto. Entrambi deglutirono.

«È morto?» chiese timidamente Seth.

Ian tenne lo sguardo fisso sul macabro ritrovamento e si strinse nelle spalle.

«Non dovremmo avvisare gli altri?» disse Seth, nervoso.

«Appena avremo scoperto chi è» replicò Ian. «Se si tratta del suo sangue, e tutto pare indicarlo, può darsi che sia ancora vivo. Dobbiamo toglierlo da lì.»

Seth socchiuse gli occhi. Appena attraversato il ponte, aveva immaginato che sarebbe successo qualcosa del genere, ma constatare che la sua previsione era esatta rafforzò la nausea che gli ballava in gola. Respirò a fondo e decise di non pensarci troppo.

«D'accordo» convenne, rassegnato. «Come...?»

Ian esaminò la zona superiore della sala e notò una piattaforma metallica che ne seguiva il perimetro a una quindicina di metri di altezza. Da lì partiva uno stretto condotto che portava fino al lampadario di cristallo, poco più di una passerella, probabilmente destinata al mantenimento e alla pulizia della struttura.

«Saliremo fino a quel corridoio e lo staccheremo» disse Ian.

«Uno di noi deve restare qui per prenderlo» suggerì Seth «e credo che dovresti essere tu.»

Ian osservò attentamente il compagno.

«Sei sicuro di voler salire da solo?»

«Sto morendo dalla voglia...» replicò Seth. «Aspettami qui. E non ti muovere.»

Ian annuì e vide Seth dirigersi verso la scalinata che saliva al piano superiore di Jheeter's Gate. Appena le ombre inghiottirono il compagno e il rumore dei suoi passi si allontanò su per le scale, scrutò l'oscurità che lo circondava.

Le brezze che sfuggivano dalle gallerie gli sibilavano nelle orecchie e trascinavano piccoli frammenti di detriti sul pavimento. Ian alzò di nuovo lo sguardo e tentò di riconoscere la figura che girava sospesa, ma senza riuscirci. L'idea che potesse trattarsi di Isobel, Siraj o Sheere non osava neanche insinuarsi nella sua mente. All'improvviso, un riflesso fugace sembrò illuminare la superficie della pozza ai suoi piedi, ma quando Ian abbassò lo sguardo non c'era più nulla.

Jawahal trascinò Sheere lungo lo spettrale corridoio formato dal treno fermo nel tunnel, fino al vagone di testa, subito prima della locomotiva. Un'intensa luce dai riflessi arancione penetrava dalle fessure sotto gli sportelli e una caldaia ruggiva con furia all'interno. Sheere sentì la temperatura crescere vertiginosamente intorno a sé e tutti i pori aprirsi al contatto dell'aria torrida e infuocata.

«Cosa c'è lì dentro?» chiese Sheere, allarmata.

Jawahal strinse le dita sul braccio della ragazza come se fossero manette e la strattonò con forza.

«La macchina del fuoco» rispose aprendo la porta e spingendola dentro. «Questa è la mia casa e la mia prigione. Ma ben presto tutto cambierà grazie a te, Sheere. Dopo tanti anni, siamo di nuovo uniti. Non è quello che hai sempre desiderato?»

Sheere si protesse il viso dalla folata di calore insopportabile che l'assalì all'improvviso e osservò tra le dita l'interno del vagone. Una gigantesca macchina formata da grandi caldaie metalliche, unite a un interminabile alambicco di tubi e valvole, ruggiva davanti a lei minacciando di saltare in aria. Dalle giunture di quel mostruoso congegno uscivano furiose fughe di vapore e gas, che assumevano l'intenso color rame che rivestiva le pareti del vagone. Sopra una plancia di metallo che sorreggeva una serie di chiavi a pressione e manometri, Sheere riconob-

244

be una figura forgiata nel ferro che rappresentava un'aquila che si innalzava maestosa dalle fiamme. Sotto l'effigie dell'uccello, Sheere notò delle parole incise in un alfabeto che non conosceva.

«L'Uccello di Fuoco» disse Jawahal vicino a lei. «Il mio alter ego.»

«Questa macchina l'ha costruita mio padre» mormorò Sheere. «Lei non ha alcun diritto di utilizzarla. Lei non è altro che un ladro e un assassino.»

Jawahal la osservò pensieroso e si passò la lingua sulle labbra.

«Che razza di mondo abbiamo costruito, se neanche gli ignoranti possono più essere felici?» le chiese. «Svegliati, Sheere...»

La ragazza si voltò per guardarlo con disprezzo.

«È stato lei a ucciderlo...» disse rivolgendogli un intenso sguardo di odio.

Le labbra di Jawahal si contrassero in una smorfia silenziosa e grottesca. Dopo qualche secondo, Sheere si rese conto che stava ridendo. Allora Jawahal la spinse con delicatezza contro la parete bollente del vagone e le puntò un dito accusatore.

«Resta lì e non muoverti» ordinò.

Sheere lo vide avvicinarsi alla palpitante strumentazione dell'Uccello di Fuoco e appoggiare il palmo delle mani sul metallo ardente delle caldaie. Le sue mani aderirono alla plancia e la ragazza sentì l'odore della pelle strinata e lo sfrigolio della carne che bruciava. Jawahal socchiuse lentamente le labbra e le nuvole di vapore che aleggiavano nel vagone sembrarono entrargli nelle viscere. Poi si voltò e sorrise sotto gli occhi terrorizzati della ragazza.

«Ti fa paura giocare con il fuoco? Allora faremo un altro gioco. Non possiamo deludere i tuoi amici.»

Senza attendere risposta, Jawahal si allontanò dalle caldaie e si diresse verso l'altra estremità del vagone, dove prese un grande cesto di vimini con il quale si avvicinò a Sheere mantenendo un inquietante sorriso stampato sulle labbra.

«Sai qual è l'animale che più assomiglia all'uomo?» le domandò amabilmente.

Sheere fece segno di no.

«Vedo che l'educazione che ti ha impartito tua nonna è più povera di quel che sarebbe lecito supporre. L'assenza di un padre è irreparabile…»

Aprì il cesto e vi introdusse una mano, mentre i suoi occhi sprigionavano un luccichio malizioso. Quando la tirò fuori, stringeva le spire sinuose e brillanti di un serpente. Un aspide.

«Questo è l'animale che più assomiglia all'uomo. Striscia e all'occorrenza cambia pelle. Ruba e mangia i piccoli delle altre specie quando sono ancora nel nido, ma è incapace di affrontarli in un combattimento a viso aperto. La sua specialità è approfittare della minima opportunità per assestare il suo morso letale. Il veleno è sufficiente solo per un morso e ha bisogno di ore per rigenerarsi, ma chi ne porta i segni è condannato a una morte lenta e sicura. Mentre il veleno penetra nelle vene della vittima, il cuore batte sempre più piano, fino a fermarsi. Ma perfino questa bestiola, nella sua meschinità, possiede un certo gusto per la poesia, come l'uomo. Anche se, a differenza dell'uomo, non morderebbe mai un suo simile. Un difetto, non credi? Magari è proprio per questo che ha finito per essere usata per il divertimento dei curiosi negli spettacoli di strada dei fachiri. Il serpente non è ancora all'altezza del re del creato.»

Jawahal avvicinò il rettile a Sheere e la ragazza si addossò alla parete. Lui immediatamente sorrise compiaciuto per lo sguardo di terrore che colse nei suoi occhi.

«Temiamo sempre chi più ci somiglia. Ma non preoccuparti» la tranquillizzò, «non è per te.»

Poi prese una piccola scatola di legno rosso e vi introdusse il serpente. Sheere respirò con più calma una volta che il rettile fu fuori dal suo campo visivo.

«Cosa pensa di farci?»

«Come ho già detto, mi serve per fare un giochetto» spiegò Jawahal. «Stanotte abbiamo degli invitati e dobbiamo cercare di farli divertire il più possibile.»

«Quali invitati?» chiese la ragazza, sperando che Jawahal non confermasse i suoi peggiori timori.

«Un quesito superfluo, cara Sheere. Riserva le tue domande per le questioni vere. Chiediti, per esempio, se i nostri amici vedranno la luce del giorno. Oppure quanto tarderà il bacio della nostra piccola amica a stroncare un cuore giovane e sano, traboccante della salute dei sedici anni. La retorica ci insegna che sono queste le domande che hanno senso e fondamento. Se non sai esprimerti, Sheere, non sai pensare. E se non sai pensare, sei perduta.»

«Queste parole appartengono a mio padre» accusò la ragazza. «Le ha scritte lui.»

«Vedo che entrambi leggiamo gli stessi libri» replicò Jawahal. «Quale miglior inizio per un'amicizia eterna, cara Sheere?»

Sheere ascoltò in silenzio il breve discorso senza distogliere lo sguardo dalla piccola scatola di legno rosso che conteneva l'aspide, immaginando le spire squamose che si contorcevano all'interno. Jawahal inarcò le sopracciglia.

«Bene» concluse. «Adesso mi scuserai se mi assento per qualche minuto, ma devo ultimare i preparativi per ricevere i nostri ospiti. Abbi pazienza e aspettami. Ne varrà la pena.»

Subito dopo afferrò di nuovo Sheere e la condusse verso un minuscolo cubicolo al quale si accedeva per una stretta porta ricavata in una parete del tunnel, una stanzetta usata in altri tempi come ripostiglio per le chiavi di sicurezza degli scambi. La spinse dentro e depositò la scatola rossa ai suoi piedi. Sheere lo guardò con espressione supplichevole, ma Jawahal le chiuse la porta in faccia e la lasciò nella più assoluta oscurità.

«Mi faccia uscire da qui, per favore» implorò la ragazza.

«Ti farò uscire prestissimo, Sheere» sussurrò la voce di Jawahal dall'altro lato della porta. «E allora nessuno potrà più separarci.»

«Che ne sarà di me?»

«Vivrò dentro di te. Nella tua mente, nella tua anima e nel tuo corpo» rispose Jawahal. «Prima che faccia giorno, le tue labbra saranno le mie e i tuoi occhi vedranno quello che io vedo. Domani sarai immortale, Sheere. Chi potrebbe chiedere di più?»

La ragazza gemette nell'oscurità.

«Perché mi fa tutto questo?» supplicò.

Jawahal restò qualche istante in silenzio.

«Perché ti voglio bene, Sheere…» rispose. «E credo che tu conosca il detto: l'uomo uccide sempre ciò che più ama.»

Dopo un'interminabile attesa, alla fine Seth ricomparve in cima alla piattaforma che correva lungo la zona superiore della sala. Ian tirò un sospiro di sollievo.

«Dove ti eri cacciato?» sbottò.

La voce rimbombò intessendo uno strano dialogo con la sua eco. Le scarse speranze di passare inavvertiti durante la perlustrazione stavano sfumando a tutta velocità.

«Non è facile arrivare fin qui» urlò Seth. «A parte le piramidi d'Egitto, questo posto è il peggior nido di piccoli e grandi corridoi oscuri che io conosca. È già molto che non mi sia perso.»

Ian annuì e fece segno all'amico di dirigersi verso il condotto che si addentrava nel cuore del lampadario di cristallo. Seth attraversò la piattaforma e si fermò proprio all'inizio della passerella.

«Qualcosa che non va?» chiese Ian, osservando il compagno a una decina di metri sopra di lui.

Seth scosse la testa e continuò a camminare sulla stretta passerella fino a fermarsi di nuovo a due metri dal corpo che pendeva dalla corda. Si avvicinò lentamente al parapetto e si sporse in avanti per esaminarlo. Ian vide stravolgersi il volto del compagno.

«Seth? Che succede, Seth?»

I cinque secondi successivi trascorsero a una velocità vertiginosa e Ian non poté fare altro che assistere al terribile spettacolo che si svolgeva davanti ai suoi occhi e registrarne ogni singolo dettaglio senza avere il tempo di reagire. Seth si inginocchiò per slegare la corda che reggeva il corpo, però, nell'afferrarla, la fune gli si aggrovigliò tra le gambe come un serpente e il corpo inerte precipitò nel vuoto. Ian vide la corda strattonare con violenza il suo amico e trascinarlo verso le tenebre della volta, come una marionetta indifesa. Seth, legato per la gamba, si dibatteva inutilmente e gridava chiedendo aiuto, mentre si innalzava in verticale a velocità impressionante e scompariva dalla vista.

Intanto, il corpo caduto nel vuoto precipitò sulla pozza di sangue. Ian notò che, sotto il manto brillante che lo avvolgeva, c'erano solo i resti di uno scheletro, le cui ossa si dissolsero in polvere nell'impatto con il pavimento; il manto ricoprì la macchia scura e la assorbì. Solo a quel punto Ian trovò la forza di reagire e si avvicinò. Quando lo esaminò, riconobbe il manto che aveva creduto di vedere in tante occasioni al St Patrick's nelle sue notti insonni, sulle spalle di quella signora avvolta nella luce che andava a trovare in sogno il suo amico Ben.

Alzò di nuovo lo sguardo in cerca di qualche segno del suo amico Seth, ma l'oscurità impenetrabile lo aveva divorato e non restava traccia della sua presenza se non l'eco moribonda delle sue grida che percorrevano i meandri di quella volta da cattedrale.

«Hai sentito?» chiese Roshan fermandosi ad ascoltare le urla che sembravano provenire dalle viscere dell'immensa struttura.

Michael annuì. L'eco delle grida svanì e ben presto restarono entrambi avvolti dall'intermittente tintinnio prodotto dalle gocce della pioggerellina che batteva sulla parte superiore della volta sotto cui si trovavano. Erano saliti fino all'ultimo piano di Jheeter's Gate e, una volta lassù, avevano scoperto l'insolito spettacolo della grande stazione vista dall'alto. Le banchine e i binari apparivano lontani e da quel punto la ricercata struttura di archi e livelli sovrapposti si poteva apprezzare molto più chiaramente.

Michael si fermò al bordo di una balaustra metallica che sporgeva nel vuoto sulla verticale del grande orologio sotto il quale erano passati entrando nella stazione. La sua percezione pittorica gli permise di cogliere l'ipnotico effetto ottico suggerito dalla fuga di centinaia di travi inarcate che partivano dal centro geometrico della cupola e sembravano perdersi in una curva infinita che non arrivava mai a terra. Da quel punto di osservazione privilegiato lo spettatore aveva l'impressione che la stazione salisse fino al cielo, tracciando un'insondabile torre di Babele che penetrava nelle nuvole e si torceva come una colonna bizantina. Roshan si avvicinò all'amico e gettò una breve occhiata alla sbalorditiva visione che sembrava averlo stregato.

«Ti verranno le vertigini. Dài, andiamo avanti.»

Michael sollevò la mano in segno di protesta.

«No, aspetta. Vieni qui.»

Roshan si affacciò fugacemente sull'orlo della balaustra.

«Se guardo un'altra volta, cado di sotto.»

Un enigmatico sorriso affiorò sulle labbra di Michael. Roshan osservò il compagno, chiedendosi cosa avessero scoperto i suoi occhi.

«Non te ne sei proprio accorto, Roshan?» gli domandò Michael.

L'amico scosse la testa.

«Spiegamelo tu.»

«Questa struttura» segnalò Michael. «Se osservi la prospettiva da questo punto della cupola, te ne renderai conto.»

Roshan tentò di seguire le indicazioni di Michael, ma l'oggetto delle sue osservazioni nemmeno gli s'insinuava in testa.

«Cosa stai cercando di dirmi?»

«È molto semplice. Questa stazione, l'intera struttura di Jheeter's Gate, non è altro che un'immensa sfera della quale vediamo soltanto la parte che emerge in superficie. La torre dell'orologio si trova proprio sulla verticale del centro della cupola, come un indizio del raggio.»

Roshan assimilò le parole di Michael con circospezione.

«Bene. È una maledetta palla» ammise. «E allora?»

«Ti rendi conto della difficoltà tecnica che comporta costruire una struttura simile?» domandò Michael.

Il compagno scosse di nuovo la testa.

«Immagino che debba essere considerevole» disse.

«Assoluta» sentenziò Michael, rispolverando l'aggettivo che riservava al *summum* dei superlativi. «Per quale motivo una persona dovrebbe progettare una struttura come questa?»

«Non sono sicuro di voler conoscere la risposta» replicò Roshan. «Scendiamo al livello inferiore. Qui non c'è niente.»

Michael annuì con aria assente e lo seguì verso la scalinata.

Il piano intermedio che si estendeva sotto la piattaforma di osservazione della cupola era alto appena un metro e mezzo ed era inondato dall'acqua infiltratasi a causa delle piogge che avevano iniziato a cadere su Calcutta dall'inizio di maggio. Il pavimento, sotto quasi un palmo di acqua stagnante e putrida che emanava un vapore fetido e nauseabondo, era ricoperto da una massa di fango e detriti, decomposti dall'azione di infiltrazioni durate più di un decennio. Michael e Roshan, che si erano chinati per potersi introdurre nell'angusta intercapedine, avanzavano a fatica nel fango che arrivava alle loro caviglie.

«Questo posto è peggio delle catacombe» commentò Roshan. «Perché diavolo il soffitto è così maledettamente basso? Ormai è da secoli che le persone sono alte più di un metro e mezzo.»

«Probabilmente questa è una zona riservata» rispose Michael. «Forse ospita parte del sistema di pesi che serve da compensazione alla volta. Cerca di non inciampare. Magari crolla tutto.»

«Stai dicendo per scherzo?»

«Sì» ribatté seccamente Michael.

«È la terza battuta che ti sento fare in sei anni» osservò Roshan. «Ed è la peggiore.»

Michael non si prese la briga di rispondere e continuò ad avanzare lentamente in quel paradossale pantano ad alta quota. Il fetore delle acque putride iniziava a martellargli il cervello e cominciò a considerare la possibilità di suggerire una nuova marcia indietro per scendere a un livello inferiore, dato che dubitava fortemente che qualcuno o qualcosa si potesse nascondere in quella fangaia inespugnabile.

«Michael?» chiese la voce di Roshan, perduta qualche metro più indietro.

Il ragazzo si voltò e intuì la sagoma del compagno curva accanto al tratto obliquo di una grande trave metallica.

«Michael» disse Roshan in tono sconcertato, «è possibile che questa trave si stia muovendo o è la mia immaginazione?»

Michael pensò che anche l'amico avesse inalato per troppo tempo quei vapori putrefatti. Si accingeva ad abbandonare definitivamente quel piano quando sentì un forte rumore all'altra estremità del locale. Si voltarono entrambi, all'unisono, e si fissarono. Il rumore si ripeté, stavolta accompagnato da un movimento, e i due ragazzi videro qualcosa che veniva verso di loro a gran velocità, immerso nel fango e sollevando al suo passaggio una scia di acqua sporca e di rifiuti che si schiantavano contro il soffitto basso. Senza aspettare un secondo, si precipitarono verso l'uscita, avanzando più in fretta che potevano, chini in uno strato di acqua e fango alto trenta centimetri.

Prima che potessero allontanarsi più di qualche metro, l'oggetto sommerso li sorpassò a tutta velocità, descrisse una curva stretta e ripartì dritto verso di loro. Roshan e Michael si separarono e corsero in direzioni opposte, cercando di distrarre l'attenzione di quella cosa che stava dando loro implacabilmente la caccia. La creatura nascosta sotto il fango si divise e ciascuna delle due parti si lanciò in un vertiginoso inseguimento.

Michael, ansimante e con il fiato grosso, si voltò mezzo secondo per verificare se era ancora inseguito e inciampò in uno scalino sommerso dalla melma. Cadde sulla superficie paludosa e fu inghiottito dalle acque fetide. Quando riemerse e aprì gli occhi, morsi da un bruciore terribile, una colonna di fango si innalzava lentamente davanti a lui, simile a una colata di cioccolato caldo versata da una brocca invisibile. Michael si trascinò nella melma e le sue mani scivolarono di nuovo, lasciandolo steso nella fanghiglia.

La figura di fango allargò due braccia alle cui estremità sbucarono dita lunghe e incurvate fino a formare due grandi uncini di metallo. Michael assisté atterrito alla formazione di quel sinistro golem e vide che dal tronco sorgeva una testa, sul cui volto si disegnarono grandi fauci solcate da canini affilati come coltelli da caccia. La figura si solidificò all'istante e dall'argilla secca salì una cortina di vapore. Michael balzò in piedi e sentì scricchiolare la struttura di fango, percorsa da centinaia di crepe. Le fessure sul volto si estesero a poco a poco e gli occhi di fuoco di Jawahal si accesero su quel volto. L'argilla secca si frantumò in un mosaico di infiniti pezzi. Jawahal afferrò Michael alla gola e avvicinò il ragazzo.

«Sei tu che fai i disegni?» chiese sollevandolo in aria.

Lui annuì.

«Bene» disse Jawahal. «Sei fortunato, ragazzo. Oggi vedrai cose che terranno la tua matita occupata per il resto dei tuoi giorni. Sempre che, ovviamente, tu riesca a sopravvivere per disegnarle.»

Roshan, intanto, corse verso la porta sentendo la sferzata dell'adrenalina nelle vene come un fiotto di benzina in fiamme. Quando non più di un paio di metri lo separavano dall'uscita, saltò e cadde a faccia in giù sulla superficie nitida e libera dal fango della passerella. Rialzandosi, il suo primo impulso fu quello di continuare a correre fino a quando il suo cuore non si fosse sciolto come burro. L'istinto acquisito negli anni precedenti l'ingresso al St Patrick's, quando era un ladruncolo di strada nella giungla di Calcutta, non era ancora venuto meno.

Eppure, qualcosa lo trattenne. Aveva perso Michael quando si erano separati al piano intermedio e adesso non sentiva più neanche le urla dell'amico che correva disperatamente per salvarsi la vita. Roshan ignorò i consigli del buon senso e si avvicinò un'altra volta all'entrata. Non c'erano tracce di Michael né della creatura che li aveva inseguiti. Roshan sentì qualcosa di simile all'impatto di un pugno d'acciaio nello stomaco quando comprese che il suo inseguitore si era lanciato sull'amico e che, solo grazie a questo, lui adesso era sano e salvo. Si affacciò all'interno e tentò di ritrovarlo.

«Michael!» gridò forte.

Le sue parole non ebbero risposta.

Roshan sospirò, abbattuto, mentre si domandava quale sarebbe stato il suo passo successivo: andare a cercare gli altri e abbandonare Michael oppure entrare a cercarlo. Nessuna delle due alternative pareva offrire grandi prospettive di successo, ma qualcuno aveva già deciso per lui. Due lunghe braccia di fango emersero dalla porta al livello del pavimento, come proiettili diretti verso i suoi piedi. Gli artigli si serrarono sulle sue caviglie. Roshan tentò di liberarsi dalla presa, ma le braccia lo strattonarono con forza, riuscendo a scaraventarlo a terra e a trascinarlo di nuovo nel piano intermedio, come un bambino avrebbe fatto con un giocattolo rotto.

Dei cinque ragazzi che avevano promesso di incontrarsi sotto l'orologio nel giro di mezz'ora, l'unico a presentarsi all'appuntamento fu Ian. La stazione non gli era mai sembrata deserta come in quel momento. L'angoscia per l'incertezza sul destino di Seth e dei suoi amici lo soffocava senza rimedio. Isolato in quel luogo spettrale, non gli era difficile immaginare di essere rimasto l'unico non ancora caduto nelle grinfie del loro sinistro anfitrione.

Scrutò nervosamente in tutte le direzioni la stazione desolata, chiedendosi cosa fare: aspettare lì immobile o andare in cerca di aiuto in piena notte. La pioggerellina che filtrava dal soffitto cominciava a formare cascatelle che cadevano da altezze insondabili. Ian dovette fare appello a tutta la sua serenità per scacciare dalla mente l'idea che quelle gocce che si schiantavano sui binari non erano altro che il sangue del suo amico Seth che oscillava appeso nell'oscurità.

Per l'ennesima volta alzò lo sguardo con la vana speranza di trovare un indizio che lo aiutasse a scoprire dove si trovava Seth. Le lancette dell'orologio mostravano il loro sorriso flaccido e le gocce di pioggia scivolavano lente sul quadrante, formando rivoli brillanti tra le cifre in rilievo. Ian sospirò. I nervi cominciavano a tradirlo e immaginò che, se non avesse ottenuto un segno immediato della presenza dei suoi amici, si sarebbe addentrato anche lui nella rete sotterranea seguendo le orme di Ben. Non gli veniva in mente nessuna idea particolarmente intelligente, ma ora più che mai nel mazzo delle sue possibili alternative non c'era neanche un asso. Fu allora che sentì lo scricchiolio di qualcosa che si avvicinava dall'imboccatura di uno dei tunnel e fece un sospiro di sollievo, accorgendosi di non essere solo.

Raggiunse la fine della banchina e scrutò la forma incerta che affiorava sotto l'architrave del tunnel. Un fastidioso prurito gli corse giù per la nuca. Un carrello si avvicinava lentamente, spinto dall'inerzia. Sul pianale si distingueva una sedia e su di essa, immobile, una figura con la testa nascosta da un cappuccio nero. Ian deglutì. Il carrello sfilò piano davanti a lui fino a fermarsi del tutto. Ian rimase inchiodato al suolo, osservando la figura paralizzata, e si sorprese a dar voce tremante al sospetto che albergava nel cuore.

«Seth?» gemette.

La figura sulla sedia non mosse un muscolo. Ian si avvicinò al carrello e vi saltò sopra. Il suo occupante non dava segno di vita. Ian percorse con la lentezza di un'agonia la distanza che lo separava da lui e si fermò a pochi centimetri dalla sedia.

«Seth?» mormorò di nuovo.

Uno strano suono emerse da sotto il cappuccio, simile a un digrignare di denti. Ian sentì lo stomaco che si restringeva fino a raggiungere le dimensioni di una pallina da cricket. Il suono smorzato si ripeté. Allora Ian prese il cappuccio tra le mani e contò fino a tre. Poi chiuse gli occhi e lo tirò via.

Quando li riaprì, un viso sorridente e istrionico lo osservava con gli occhi fuori dalle orbite. Il cappuccio gli cadde dalle mani. Era un pupazzo dal volto bianco come la porcellana e al posto degli occhi aveva due grandi rombi neri dipinti, il cui vertice inferiore scendeva sulle guance come una lacrima di catrame.

Il pupazzo digrignò meccanicamente i denti. Ian esaminò la grottesca figura di quell'arlecchino da mercatino ambulante e si sforzò di capire cosa si nascondesse dietro quella eccentrica manovra. Con cautela, allungò la mano verso il volto del fantoccio e tentò di esaminarlo alla ricerca del meccanismo che sembrava sostenerne il movimento.

Con celerità felina, il braccio destro dell'automa cadde sul suo e Ian, prima di poter reagire, si accorse di avere il polso sinistro imprigionato da un paio di manette. L'altro anello cingeva il braccio del pupazzo. Il ragazzo tirò con forza, ma il fantoccio era legato al carrello e si limitò a digrignare ancora una volta i denti. Ian tentò disperatamente di divincolarsi, ma quando capì che da solo non si sarebbe mai liberato il carrello aveva già iniziato a muoversi; stavolta, però, tornava verso la buia imboccatura del tunnel.

Ben si fermò a un incrocio tra due gallerie e per un secondo considerò la possibilità di essere passato due volte nello stesso posto. Dal momento in cui si era addentrato nei tunnel di Jheeter's Gate, quella stava diventando una sensazione ricorrente e preoccupante. Tirò fuori uno dei fiammiferi che economizzava con criterio spartano e lo accese sfregandone delicatamente la punta sulla parete. La debole penombra intorno a lui si tinse della calda luce della fiammella. Ben esaminò l'intersezione dei tunnel solcati dai binari e l'ampio sfiatatoio che l'attraversava in perpendicolare.

Una ventata d'aria polverosa spense la fiamma e Ben tornò in quel mondo di penombra nel quale, per quanto camminasse in una direzione o in un'altra, sembrava non arrivare mai da nessuna parte. Cominciava a sospettare di essersi perso e aveva l'impressione che, continuando a addentrarsi in quel complesso mondo sotterraneo, avrebbe potuto metterci ore, o forse addirittura giorni, per uscirne. Il buon senso gli consigliava saggiamente di rifare il cammino all'indietro e dirigersi di nuovo verso la zona principale della stazione. Per quanto si sforzasse di visualizzare mentalmente il labirinto di tunnel e l'intricato sistema di ventilazione e intercomunicazione tra le gallerie adiacenti, non riusciva a scacciare l'assurdo sospetto che quel luogo si muovesse intorno a lui. Cercare, al buio, nuovi percorsi, l'avrebbe solo ricondotto al punto di partenza.

Deciso a non lasciarsi confondere dalla caotica rete di gallerie, tornò indietro e affrettò il passo, chiedendosi se fosse già passato il tempo concordato per incontrarsi di nuovo sotto l'orologio della stazione. Mentre vagava per gli interminabili condotti di Jheeter's Gate, immaginò che magari esisteva una strana legge fisica che dimostrasse come, in assenza di luce, il tempo corresse più in fretta.

Ben cominciava a pensare di aver percorso intere miglia nell'oscurità quando il diafano chiarore che proveniva dallo spazio aperto sotto la grande cupola di Jheeter's Gate si insinuò dal fondo della galleria. Fece un sospiro di sollievo e corse verso la luce con la certezza di essere sfuggito all'incubo del labirinto dopo un interminabile pellegrinaggio.

Ma quando alla fine oltrepassò l'entrata della galleria e imboccò lo stretto canale che si prolungava tra due banchine limitrofe, la sua iniezione di ottimismo si rivelò fugace e ben presto una nuova ombra di inquietudine calò su di lui. La stazione appariva desolata e non c'era traccia degli altri membri della Chowbar Society.

Salì con un balzo sulla banchina e percorse i cinquanta metri scarsi che lo separavano dalla torre dell'orologio con l'unica compagnia dell'eco dei suoi passi e il rumore minaccioso della tormenta elettrica. Girò intorno alla torre e si fermò ai piedi del grande quadrante con le lancette deformate. Non aveva bisogno di orologio per intuire che il lasso di tempo concordato con i suoi compagni per incontrarsi in quel punto era ampiamente scaduto.

Si appoggiò al muro di mattoni anneriti della torre e constatò che la sua idea di dividersi per ottenere una maggior efficacia nella ricerca non pareva avere dato i frutti sperati. L'unica differenza tra quell'istante e il momento in cui aveva varcato la soglia di Jheeter's Gate consisteva nel fatto che adesso era solo; proprio come Sheere, aveva perso il resto dei suoi compagni.

La tempesta emise un ruggito furioso, come se avesse spezzato il cielo in due con un morso. Ben decise di mettersi alla ricerca dei compagni. Poco gli importava se avrebbe impiegato una settimana o un mese per scoprire dov'erano finiti; ora che si giocava a carte scoperte, quella era l'unica mossa che poteva prendere in considerazione. Andò verso la banchina centrale, in direzione dell'ala posteriore di Jheeter's Gate, dove una volta c'erano gli uffici, le sale d'attesa e la piccola cittadella di bazar, caffetterie e ristoranti carbonizzati dopo pochi minuti di vita. Fu allora che scorse un manto brillante caduto sul pavimento di una sala d'attesa. La sua memoria gli suggerì che l'ultima volta che aveva visto quel luogo, prima di addentrarsi nei tunnel, quel pezzo di stoffa satinata non c'era. Ben affrettò il passo e, nel suo avanzare nervoso, non si accorse che qualcuno lo aspettava nell'ombra, immobile.

Si accovacciò di fronte al manto e allungò una mano furtiva. La stoffa era impregnata di un liquido scuro e tiepido, che al tatto gli risultava vagamente familiare e gli provocava una repulsione istintiva. Sotto il manto si intuivano le forme di quelli che a Ben sembrarono i frammenti sparsi di qualche oggetto. Tirò fuori la scatola per accendere un fiammifero e verificare di cosa si trattasse, ma si accorse che ne era rimasto soltanto uno. Rassegnato, lo conservò per un'occasione migliore e aguzzò la vista, tentando di raccogliere il maggior numero di dettagli alla ricerca di una pista che facesse luce sul destino dei suoi amici.

«È un'esperienza forte contemplare il sangue del tuo sangue versato, non è così, Ben?» disse Jawahal alle sue spalle. «Il sangue di tua madre, proprio come me, non trova pace.»

Ben sentì il tremore impadronirsi delle sue mani e si voltò lentamente. Jawahal era seduto all'estremità di una panchina di metallo, un sinistro re delle tenebre sul suo trono eretto fra distruzione e macerie.

«Non mi chiedi dove sono i tuoi amici, Ben?» disse Jawahal. «Forse hai paura di ricevere una risposta che non ti lascerà troppe speranze.»

«Se lo facessi, mi risponderebbe?» replicò il ragazzo, immobile accanto al manto insanguinato.

«Forse» sorrise Jawahal.

Ben tentò di non fissare gli occhi ipnotici di Jawahal e, soprattutto, di scacciare dalla mente l'assurda idea che qualcuno urlasse dentro il suo cervello, cercando di convincerlo che l'ombra funesta con la quale conversava in uno scenario preso in prestito dall'inferno era suo padre, o quel che ne restava.

«Sei assalito dai dubbi, Ben?» chiese Jawahal, che sembrava divertito dalla conversazione.

«Lei non è mio padre. Lui non farebbe mai del male a Sheere» sbottò Ben nervosamente.

«Chi ti ha detto che voglio farle del male?»

Ben aggrottò le sopracciglia e vide Jawahal allungare la mano fasciata da un guanto e impregnarla del sangue ai suoi piedi. Poi si portò al viso le dita imbevute nel sangue e se lo cosparse sui lineamenti spigolosi.

«Una sera, molti anni fa, Ben» disse Jawahal, «la donna il cui sangue è stato versato proprio qui è stata mia moglie e la madre dei miei figli, uno dei quali si chiamava come te. È curioso pensare come i ricordi a volte possano diventare incubi. Sento ancora la sua mancanza. Ti sorprende? Chi credi che sia tuo padre? L'uomo che vive nei miei ricordi o quest'ombra senza vita che hai di fronte? Cosa ti fa pensare che ci sia una differenza tra i due?»

«La differenza è ovvia» replicò Ben. «Mio padre era un uomo buono. Lei non è altro che un assassino.»

Jawahal chinò la testa e annuì lentamente. Ben gli voltò le spalle.

«Il nostro tempo sta per finire» disse Jawahal. «È ora di andare incontro al nostro destino. Ciascuno al suo. Ormai siamo tutti adulti, vero? Sai qual è il significato della maturità, Ben? Lascia che tuo padre te lo spieghi. Maturare non è altro che il processo attraverso il quale si scopre che tutto ciò a cui credevi da giovane è falso mentre tutto quello a cui ti rifiutavi di credere in gioventù risulta vero. E tu, quando pensi di maturare, figlio mio?»

«Non credo che mi interessi la sua filosofia» ribatté Ben sprezzante.

«Il tempo si incaricherà di ricordartela, figliolo.»

Ben si voltò e fissò Jawahal con odio.

«Cos'è che vuole?» reclamò.

«Voglio tenere fede a una promessa, la promessa che mantiene viva la mia fiamma.»

«Qual è?» chiese Ben. «Commettere un delitto? È questa la sua impresa d'addio?»

Jawahal socchiuse pazientemente gli occhi.

«La differenza tra un crimine e un'impresa di solito dipende dalla prospettiva dell'osservatore, Ben. La mia promessa è solo quella di trovare una nuova dimora per la mia anima. E me l'offrirete voi. I miei figli.»

Ben strinse i denti e sentì il sangue ribollirgli alle tempie.

«Lei non è mio padre» disse con serenità. «E se un giorno lo è stato, me ne vergogno.»

Jawahal sorrise paterno.

«Ci sono due cose nella vita che non puoi sceglierti, Ben. La prima sono i tuoi nemici. La seconda, la tua famiglia. A volte la differenza tra gli uni e l'altra è difficile da cogliere, ma il tempo insegna che, in fin dei conti, le tue carte avrebbero sempre potuto essere peggiori. La vita, figlio mio, è come la prima partita di scacchi. Quando inizi a capire come si muovono i pezzi, hai già perso.»

Ben si lanciò improvvisamente contro Jawahal con tutta la forza della sua rabbia repressa. Jawahal rimase immobile all'estremità della panchina e, quando il ragazzo attraversò la sua immagine, la sagoma svanì nell'aria in una scultura di fumo. Ben cadde a terra e sentì che una delle viti arrugginite che spuntavano da sotto la panchina gli apriva un taglio sulla fronte.

«Una delle cose che imparerai presto» disse la voce di Jawahal alle sue spalle «è che, prima di attaccare il tuo nemico, devi sapere qual è il suo modo di pensare.»

Ben si pulì il sangue che gli colava sul viso e si voltò in cerca di quella voce nella penombra. La sagoma di Jawahal seduto si stagliava chiaramente all'estremità opposta della panchina. Per qualche secondo il ragazzo provò la sconcertante sensazione di aver cercato di attraversare uno specchio e di essere stato vittima di un complicato trucco di geometria bizantina.

«Nulla è ciò che sembra» disse Jawahal. «Avresti già dovuto capirlo nei tunnel. Quando ho progettato questo posto, mi sono riservato qualche sorpresa che soltanto io conosco. Ti piace la matematica, Ben? La matematica è la religione della gente che ha cervello, per questo ha così pochi adepti. È un peccato che né tu né i tuoi ingenui compagni uscirete mai da qui, perché potresti rivelare al mondo alcuni dei misteri che questa struttura nasconde. Con un po' di fortuna, otterresti in cambio le stesse prese in giro, le stesse invidie e lo stesso disprezzo che ha collezionato il loro inventore.»

«Lei è accecato dall'odio. Ormai da molto tempo.»

«L'unico effetto che l'odio ha avuto su di me» replicò Jawahal «è stato quello di aprirmi gli occhi. E adesso sarà meglio che tu tenga bene aperti i tuoi perché, anche se mi consideri soltanto un assassino, vedrai che ti verrà concessa un'opportunità per salvarti e salvare i tuoi amici. Quell'opportunità che io non ho mai avuto.»

La sagoma di Jawahal si alzò e si avvicinò a Ben. Il ragazzo deglutì e si apprestò a scappare via di corsa. Jawahal si fermò a due metri da lui, unì lentamente le mani e gli fece una leggera riverenza.

«Mi è piaciuta questa conversazione, Ben» disse con gentilezza. «Adesso preparati e vieni a cercarmi.»

Prima che Ben potesse articolare una parola o muovere un solo muscolo, la sagoma di Jawahal si scompose in un mulinello di fuoco e si proiettò a velocità vertiginosa attraverso la volta della stazione, descrivendo un arco di fiamme. In pochi secondi, il fascio di fuoco si immerse nei tunnel come una freccia ardente e lasciò dietro di sé una ghirlanda di brandelli scintillanti che svanivano nell'oscurità, indicando così al ragazzo la strada da seguire.

Ben rivolse un ultimo sguardo al manto insanguinato e penetrò di nuovo nei tunnel con la certezza che stavolta, qualunque strada avesse imboccato, tutte le gallerie avrebbero finito per convergere nello stesso punto.

La sagoma del treno emerse dalle tenebre. Ben osservò l'interminabile convoglio di vagoni che esibivano ancora le cicatrici delle fiamme e, per un momento, credette di essersi imbattuto nel cadavere di un gigantesco serpente meccanico scaturito dalla diabolica immaginazione di Jawahal. Gli bastò avvicinarsi per riconoscere il treno che aveva creduto di vedere alcune notti prima attraversare i muri dell'orfanotrofio avvolto dalle fiamme, trasportando le anime prigioniere di centinaia di bambini che lottavano per sfuggire a quell'inferno perpetuo. Il treno se ne stava lì inerte e sinistro, senza offrirgli alcun indizio che i suoi compagni si trovassero all'interno.

Eppure un presentimento lo portava a credere il contrario. Si lasciò alle spalle la locomotiva e risalì lentamente il convoglio in cerca dei suoi amici.

A metà strada, si fermò per guardarsi indietro e vide che la testa del treno si era già persa nell'ombra. Mentre si accingeva a riprendere il cammino, avvertì che un volto pallido come un cadavere lo osservava dal finestrino di un vagone.

Ben girò la testa bruscamente e sentì il cuore sul punto di scoppiare. Un bambino di non più di sette anni lo osservava attento, i profondi occhi neri fissi su di lui. Deglutì e avanzò di un passo. Il bambino schiuse le labbra e dalla sua bocca spuntarono delle fiamme che diedero fuoco alla sua immagine, disintegrandola come un foglio di carta secca. Ben sentì un freddo glaciale alla base della nuca ma continuò a camminare, ignorando l'impressionante mormorio di voci che sembrava provenire da qualche posto nascosto nelle viscere del treno.

Alla fine, quando raggiunse il vagone di coda del convoglio, si avvicinò alla porta d'entrata e spinse la maniglia. La luce di centinaia di candele ardeva all'interno. Ben avanzò e i volti di Isobel, Ian, Seth, Michael, Siraj e Roshan si illuminarono di speranza. Ben tirò un sospiro di sollievo.

«Ora ci siamo tutti. Credo che possiamo cominciare a giocare» disse una voce familiare accanto a lui.

Il ragazzo si voltò lentamente, le braccia di Jawahal cingevano sua sorella Sheere. La porta del vagone si chiuse come una paratia corazzata e Jawahal liberò Sheere. La ragazza corse dal fratello e l'abbracciò.

«Stai bene?» chiese Ben.

«Certo» obiettò Jawahal.

«State tutti bene?» domandò Ben ai membri della Chowbar Society che erano legati sul pavimento, ignorando le parole di Jawahal.

«Perfettamente» confermò Ian.

I due si scambiarono uno sguardo più eloquente di mille discorsi. Ben annuì.

«Se qualcuno ha dei piccoli graffi» chiarì Jawahal, «se li è procurati a causa della propria incapacità.»

Ben si voltò verso di lui e allontanò Sheere.

«Dica chiaramente che cosa vuole.»

Jawahal fece una smorfia di sorpresa.

«Nervoso, Ben? O hai fretta di farla finita? Io ho aspettato sedici anni questo momento e posso aspettare ancora qualche minuto. Specialmente da quando tra me e Sheere c'è questo nuovo rapporto.»

L'idea che Jawahal avesse rivelato la propria identità a Sheere pendeva su Ben come una spada di Damocle. Jawahal sembrava avere letto nei suoi pensieri e la situazione lo divertiva.

«Non dargli retta, Ben» disse Sheere. «Quest'uomo ha ucciso nostro padre. Tutto quello che dice o pretende di farci credere ha lo stesso valore della sporcizia che ricopre questo buco.»

«Sono parole dure da rivolgere a un amico» commentò Jawahal pazientemente.

«Preferirei morire piuttosto che essere sua amica...»

«La nostra amicizia, Sheere, è solo questione di tempo» mormorò Jawahal.

Il suo sorriso equanime svanì all'istante. A un gesto della sua mano, Sheere venne scagliata contro l'altra estremità del vagone, investita da un ariete invisibile.

«Adesso riposa. Molto presto saremo insieme per sempre...»

Sheere sbatté contro la parete di metallo e cadde a terra priva di sensi. Ben si lanciò verso di lei, ma la ferrea pressione di Jawahal lo trattenne.

«Tu non vai da nessuna parte» disse. Poi, rivolgendo uno sguardo gelido agli altri, aggiunse: «Il prossimo che avrà qualcosa da dire si ritroverà le labbra sigillate con il fuoco».

«Mi lasci» gemette Ben, sentendo che la mano che gli stringeva il collo era sul punto di spezzargli le vertebre.

Jawahal lo lasciò immediatamente e il ragazzo crollò a terra.

«Alzati e stammi a sentire» ordinò Jawahal. «Mi sembra di capire che voi formate una specie di confraternita e che avete giurato di aiutarvi e proteggervi fino alla morte. È così?»

«Sì, è così» disse Siraj da terra.

Un pugno invisibile lo colpì con forza, abbattendolo come un fantoccio di pezza.

«Non ho chiesto a te, ragazzo» disse Jawahal. «E allora Ben, pensi di rispondere o preferisci che facciamo qualche esperimento con l'asma del tuo amico?»

«Lo lasci in pace. Sì, è vero» rispose Ben.

«Bene. Allora consentimi di complimentarmi con te per il favoloso lavoro che hai fatto portando i tuoi amici qui dentro. Davvero uno splendido modo di proteggerli...»

«Ha detto che ci avrebbe concesso una possibilità» gli ricordò Ben.

«So bene di averlo detto. Che valore dai alla vita di ognuno dei tuoi amici?»

Il ragazzo impallidì.

«Non hai capito la domanda o vuoi che trovi la risposta in un altro modo?»

«La loro vita vale quanto la mia.»

Jawahal sorrise languidamente.

«Faccio fatica a crederlo» affermò.

«Quello che lei crede o non crede mi lascia del tutto indifferente.»

«Allora andiamo a verificare se le tue belle parole corrispondono alla realtà, Ben» disse Jawahal. «Ecco il patto che vi propongo. Siete sette, senza contare Sheere. Lei resta fuori da questo gioco. Per ciascuno di voi c'è una scatola chiusa che contiene... un mistero.»

Jawahal indicò una fila di scatole di legno dipinte in diversi colori, allineate una accanto all'altra come piccole cassette della posta.

«Ciascuna di loro ha un'apertura nella parte anteriore che permette di infilarvi la mano, ma impedisce di tirarla fuori prima che siano passati alcuni secondi. È come una trappola per curiosi. Immagina che ognuna di quelle scatole contenga la vita di uno dei tuoi amici, Ben. Di fatto è così, perché in ognuna c'è una targhetta di legno con i vostri nomi. Puoi introdurre la mano e tirarla fuori. Per ogni scatola nella quale infilerai la mano ed estrarrai il suo nome, libererò uno dei tuoi amici. Ma, naturalmente, c'è un rischio. Una di quelle scatole, invece della vita, contiene la morte.»

«Cosa vuol dire?» chiese Ben.

«Hai mai visto un aspide, Ben? Una bestiola dal temperamento capriccioso. Sai qualcosa di serpenti?»

«So cos'è un aspide» replicò seccamente Ben, sentendo che le ginocchia gli tremavano.

«Allora ti risparmierò i dettagli. Ti basti sapere che una delle scatole nasconde un aspide.»

«Non farlo, Ben» disse Ian.

Jawahal gli rivolse uno sguardo malizioso.

«Ben, sto aspettando. Credo che nessuno ti offrirebbe un patto più generoso in tutta la città di Calcutta. Sette vite e una sola possibilità di errore.»

«Come faccio a sapere che non sta mentendo?» si informò Ben.

Jawahal alzò un lungo dito indice e scosse piano la testa davanti al volto del ragazzo.

«Mentire è una delle poche cose che non faccio, Ben. E tu lo sai. Adesso deciditi, oppure, se non hai il coraggio per affrontare il gioco e dimostrare che i tuoi amici ti sono così cari come vuoi farci credere, dillo chiaramente e passeremo il testimone a qualcun altro con più fegato di te.»

Ben sostenne lo sguardo di Jawahal e alla fine annuì.

«No, Ben...» ripeté Ian.

«Di' al tuo amico di stare zitto» sibilò Jawahal. «Altrimenti lo farò io.»

Il ragazzo lanciò a Ian un'occhiata supplichevole.

«Non rendere tutto più difficile, Ian.»

«Ian ha ragione, Ben» intervenne Isobel. «Se vuole ucciderci, che lo faccia lui. Non lasciarti ingannare.»

Ben alzò una mano per chiedere silenzio e si piazzò di fronte a Jawahal.

«Ho la sua parola?»

L'altro lo guardò a lungo e, finalmente, annuì.

«Non perdiamo altro tempo» concluse il ragazzo dirigendosi verso la fila di scatole che lo aspettavano.

Ben osservò attentamente le sette scatole di legno dipinte in differenti colori e cercò di immaginare in quale di loro Jawahal avesse nascosto il serpente. Decifrare il criterio con il quale erano state disposte era come ricostruire un puzzle senza conoscere l'immagine da comporre. L'aspide poteva essere in una delle scatole agli estremi o al centro, in una di quelle dipinte con colori vivaci o in quella che sfoggiava un brillante smalto nero. Qualunque supposizione era inutile e Ben scoprì che la sua mente restava completamente in bianco rispetto alla decisione che bisognava prendere subito.

«La prima è la più difficile» sussurrò Jawahal. «Scegli senza pensare.»

Ben esaminò quello sguardo insondabile e non vi trovò altro che il riflesso del proprio volto pallido e spaventato. Contò mentalmente fino a tre, chiuse gli occhi e introdusse di colpo la mano in una delle scatole. I secondi che seguirono furono interminabili, mentre aspettava di sentire il contatto delle spire squamose e il morso letale dell'aspide. Niente di tutto questo accadde; dopo un'attesa simile a un'agonia, le sue dita palparono una targhetta di legno e Jawahal gli rivolse un sorriso sportivo.

«Buona scelta. Il nero. Il colore del futuro.»

Ben estrasse la tavoletta e lesse il nome che vi era scritto. Siraj. Allora rivolse uno sguardo inquisitorio a Jawahal e lui annuì. Si sentì chiaramente il tintinnio delle manette che imprigionavano il fragile ragazzo.

«Siraj» ordinò Ben. «Scendi dal treno e allontanati.»

Siraj si massaggiò i polsi doloranti e guardò i compagni, avvilito.

«Da qui non me ne vado» replicò.

«Fai quello che ti ha detto Ben» suggerì Jawahal, cercando di contenere il tono della voce.

Siraj scosse la testa. Isobel gli sorrise debolmente.

«Siraj, vattene via da qui» lo supplicò la ragazza. «Fallo per me.»

Il ragazzo esitò, sconcertato.

«Non abbiamo tutta la notte» disse Jawahal. «Decidi. O vai o resti. Ma solo gli stupidi disprezzano la fortuna. E stanotte tu hai esaurito le riserve per il resto della vita.»

«Siraj!» ordinò Ben, secco. «Vattene subito. Cerca di aiutarmi.»

Siraj gli rivolse uno sguardo disperato, ma l'amico non allentò di un millimetro la sua espressione severa e imperativa. Alla fine annuì a testa bassa e si diresse verso la porta del vagone.

«Non fermarti fino a quando non sarai arrivato al fiume» disse Jawahal. «Altrimenti te ne pentirai.»

«Non lo farà» rispose Ben al suo posto.

«Vi aspetterò» gemette Siraj dagli scalini del vagone.

«A presto, Siraj» disse Ben. «Dài, muoviti.»

I passi del ragazzo si allontanarono lungo il tunnel e Jawahal inarcò le sopracciglia indicando che il gioco continuava.

«Ho mantenuto la mia promessa, Ben. Adesso tocca a te. Ci sono meno scatole. È più facile scegliere. Decidi in fretta e un altro dei tuoi amici avrà salva la vita.»

Ben posò gli occhi sulla scatola vicina a quella scelta prima. Poteva essere quella giusta, proprio come le altre. Lentamente, allungò la mano e si fermò a un centimetro dalla fessura.

«Sei sicuro?» chiese Jawahal.

Ben lo guardò, esasperato.

«Pensaci bene. La tua prima scelta è stata perfetta; non rovinare tutto adesso.»

Ben gli sorrise sprezzante e, senza distogliere gli

occhi dai suoi, introdusse la mano nella scatola che aveva scelto. Le pupille di Jawahal si contrassero come quelle di un felino affamato. Ben estrasse la targhetta e lesse il nome.

«Seth» indicò. «Fila via da qui.»

Le manette di Seth si aprirono all'istante e il ragazzo si alzò in piedi, nervoso.

«Questa storia non mi piace, Ben» disse.

«A me ancora meno» replicò Ben. «Esci e assicurati che Siraj non si perda.»

Seth annuì gravemente, consapevole che qualunque alternativa al seguire le istruzioni di Ben avrebbe messo in pericolo la vita di tutti. Rivolse uno sguardo di commiato agli amici e si incamminò verso la porta. Una volta lì, si girò e guardò di nuovo i membri della Chowbar Society.

«Ne usciremo anche stavolta, d'accordo?»

I suoi compagni annuirono con tutta la volontà che il calcolo delle probabilità sembrava raccomandare.

«Quanto a lei» disse Seth indicando Jawahal, «è soltanto un mucchio di merda.»

Jawahal si leccò le labbra e annuì.

«È facile fare l'eroe quando ce la si dà a gambe e si abbandonano gli amici a una morte sicura, vero, Seth? Puoi insultarmi ancora, se ti fa piacere. Non ti farò nulla. Sicuramente ti aiuterà a dormire meglio quando ricorderai questa notte e molti dei presenti saranno cibo per i vermi. Potrai sempre spiegare alla gente che tu, il valoroso Seth, hai insultato il cattivo. Non è così, forse? Ma, in fondo, io e te sapremo la verità, eh, Seth?»

Il volto del ragazzo si accese di rabbia e uno sguardo di odio cieco gli spuntò negli occhi. Si avviò verso Jawahal, ma Ben si frappose violentemente sulla sua strada e lo fermò.

«Per favore, Seth» gli sussurrò all'orecchio. «Vattene subito. Per favore.»

Seth gli rivolse un'ultima occhiata e annuì, stringendogli forte il braccio. Ben aspettò che fosse sceso dal vagone e affrontò di nuovo Jawahal.

«Questo non era nei patti» recriminò. «Non vado avanti se lei non smette di torturare i miei amici.»

«Lo farai, che ti piaccia o no. Non hai alternative. Però, come prova di buona volontà, terrò per me i commenti sui tuoi compagni. E adesso, vai avanti.»

Ben osservò le cinque scatole restanti e posò lo sguardo su quella all'estrema destra. Senza pensarci troppo, vi introdusse la mano e tastò all'interno. Un'altra targhetta. Respirò a fondo e sentì il sospiro di sollievo dei suoi amici.

«Deve esserci un angelo che veglia su di te, Ben» disse Jawahal. Il ragazzo esaminò il rettangolo di legno.

«Isobel.»

«La signora è fortunata» disse Jawahal.

«Stia zitto» mormorò Ben, ormai stufo dei commenti con i quali Jawahal si divertiva a sottolineare ogni nuova mossa di quel macabro gioco.

«Isobel» disse Ben, «a presto.»

La ragazza si alzò e passò davanti ai compagni con lo sguardo basso, trascinando i piedi come se fossero cuciti a terra.

«Non hai un'ultima parola per Michael, Isobel?» chiese Jawahal.

«La pianti» affermò Ben. «Cosa pensa di ottenere da tutto questo?»

«Scegli un'altra scatola» replicò Jawahal. «Così lo vedrai.»

Isobel scese dal vagone e Ben vagliò mentalmente le quattro scatole rimaste.

«Hai deciso?» chiese Jawahal.

Il ragazzo annuì e si piazzò davanti alla scatola dipinta di rosso.

«Rosso. È il colore della passione» commentò Jawahal. «E del fuoco. Avanti, Ben. Credo che questa sia la tua serata.»

Sheere socchiuse gli occhi e vide Ben avvicinarsi alla scatola rossa con il braccio teso. Un brivido di panico le attraversò il corpo. Si alzò bruscamente e si lanciò verso Ben con tutte le sue forze. Non poteva permettere che il fratello infilasse la mano in quella scatola. Le vite di quei ragazzi non avevano alcun valore per Jawahal. Per lui non erano altro che pretesti per spingere Ben all'autodistruzione. Aveva bisogno che fosse Ben a servirgli la propria morte su un vassoio d'argento, spianandogli la strada. Così, quello spettro maledetto sarebbe entrato in lei e sarebbe uscito da quei tunnel trasformato in un essere in carne e ossa. Un essere giovane che lo avrebbe restituito al mondo di coloro che desiderava distruggere.

Prima di muovere un muscolo, Sheere capì che restava soltanto un'alternativa, un solo modo per mandare all'aria il complesso rompicapo architettato da Jawahal attorno a loro. Soltanto lei poteva alterare il corso degli eventi facendo l'unica cosa al mondo che Jawahal non aveva previsto.

Gli istanti che trascorsero subito dopo restarono incisi nella sua mente con la precisione di una collezione di stampe ricche di accurati dettagli.

Sheere percorse in un baleno i sei metri che la separavano dal fratello, evitando i tre membri restanti della Chowbar Society legati a terra. Ben si voltò lentamente e la prima espressione di perplessità e sorpresa si trasformò in una smorfia di orrore quando vide che Jawahal si alzava e le dita della sua mano destra prendevano fuoco formando un artiglio di fiamme. Mentre si gettava addosso al ragazzo, Sheere sentì il suo grido perdersi in un'eco lontana. Lo spinse a terra e strappò così la sua mano dalla fessura della scatola rossa. Ben crollò sul pavimento del vagone e Sheere vide la sagoma spettrale di Jawahal ergersi davanti a lei e allungare l'artiglio incandescente verso il suo viso. Fissò gli occhi in quelli dell'assassino e lesse il diniego disperato che iniziava a disegnarsi sulle sue labbra. Il tempo sembrò fermarsi intorno a loro come una vecchia giostra.

Qualche frazione di secondo più tardi, Sheere colpì con il pugno la fessura della scatola scarlatta. Sentì le lamine dello sportellino chiudersi sul suo polso come un fiore avvelenato. Ai suoi piedi, Ben urlò, mentre Jawahal gli stringeva il pugno igneo davanti al viso. Ma Sheere sorrise trionfante e, a un certo punto, sentì l'aspide assestarle il suo bacio mortale e l'esplosione ardente del veleno accendere il sangue che le scorreva nelle vene come un bengala con una pompa di benzina.

Ben cinse la sorella con le braccia e le strappò via la mano dalla scatola rossa, ma ormai era troppo tardi. Due punture sanguinanti brillavano sulla pallida pelle del polso. Sheere gli sorrise mentre perdeva i sensi.

«Sto bene» mormorò, ma prima che riuscisse a pronunciare l'ultima sillaba le sue gambe cedettero a una scossa invisibile che la fece stramazzare addosso al fratello.

«Sheere!» gridò Ben.

Sentì che una nausea indescrivibile si impossessava di tutto il suo essere e che le forze sembravano fuggirgli via dal corpo, come il tempo in una clessidra. Afferrò la sorella e le prese la testa in grembo, accarezzandole il viso.

Sheere aprì gli occhi e gli sorrise debolmente. Aveva il volto bianco come la calce.

«Non mi fa male, Ben» gemette.

Lui incassò ogni parola come un calcio nello stomaco e alzò lo sguardo in cerca di Jawahal. Lo spettro osservava immobile la scena, con il viso impenetrabile. I loro occhi si incontrarono.

«Non era questo il mio piano, Ben» disse Jawahal. «Adesso diventa tutto più difficile.»

Ben sentì l'odio crescergli dentro; come un'enorme crepa, gli squarciava l'anima in due.

«Lei è uno schifoso assassino» mormorò tra i denti.

Jawahal rivolse un ultimo sguardo a Sheere che tremava tra le braccia del fratello e scosse il capo lentamente. I suoi pensieri sembravano molto lontani da lì.

«Adesso restiamo solo io e te, Ben» disse. «Testa o croce. Dille addio e vieni a cercare la tua vendetta.»

Il volto di Jawahal si mascherò dietro un velo di fiamme e la sua sagoma infuocata si voltò e attraversò la porta del vagone, lasciando una breccia nel metallo, che sgocciolava acciaio incandescente.

Ben sentì aprirsi i lucchetti delle catene che imprigionavano Ian, Michael e Roshan. Ian corse verso i due fratelli, prese il braccio di Sheere e si portò la ferita alle labbra. Succhiò con forza e sputò il sangue impregnato di veleno che gli bruciava la lingua. Michael e Roshan si inginocchiarono davanti alla ragazza rivolgendo uno sguardo disperato a Ben, il quale, intanto, si malediceva per aver lasciato trascorrere quei secondi preziosi senza intervenire come si era affrettato a fare il suo amico.

Ben alzò gli occhi e vide la scia di fiamme che Jawahal lasciava al suo passaggio, fondendo il metallo come la punta di un sigaro avrebbe attraversato un foglio di carta. Il treno subì un forte scossone e, lentamente, prese a muoversi lungo il tunnel. Il fragore della locomotiva invase le gallerie sotterranee del labirinto di Jheeter's Gate. Ben si voltò verso i compagni e lanciò un'intensa occhiata a Ian.

«Prenditi cura di lei» ordinò.

«No, Ben» supplicò Ian, leggendo i pensieri che dilagavano nella mente dell'amico. «Non andare.»

Ben abbracciò la sorella e la baciò sulla fronte.

«Tornerai per dirmi addio?» gli chiese la ragazza con voce tremante.

Lui sentì che le lacrime gli inondavano gli occhi.

«Ti voglio bene» mormorò Sheere.

«Ti voglio bene» replicò Ben, rendendosi conto di non aver mai detto quelle parole a nessuno.

Il treno accelerò con rabbia, trascinandoli lungo il tunnel. Ben corse verso la porta del vagone, poi, evitando la ferita appena aperta nella lastra di metallo, si lanciò alla ricerca di Jawahal.

Attraversando il vagone successivo, si accorse che Michael e Roshan lo seguivano correndo. Rapidamente, si fermò sulla piattaforma che separava le carrozze per strappar via il perno che univa le ultime due e lo lanciò nel vuoto. Le dita di Roshan gli sfiorarono le mani per un decimo di secondo, ma, quando Ben rialzò la testa, gli sguardi disperati dei suoi amici rimanevano indietro, mentre il treno trascinava lui e Jawahal a tutta velocità verso il cuore di tenebra di Jheeter's Gate. Adesso restavano soltanto loro due.

A ogni passo che Ben faceva in direzione della locomotiva, il treno acquistava velocità nella sua corsa infernale lungo i tunnel. La vibrazione che scuoteva il metallo faceva barcollare il ragazzo nel percorso tra le macerie dietro la scia luminosa delle impronte lasciate da Jawahal nel metallo. Ben riuscì a raggiungere la piattaforma successiva e si afferrò con forza alla sbarra di sostegno mentre il treno imboccava una curva stretta a forma di mezzaluna e si lanciava in una discesa che sembrava condurre nelle viscere della Terra. Poi, con un nuovo scossone, accelerò ulteriormente e la palla di fuoco sparì nell'oscurità. Ben si alzò e riprese a correre sulle tracce di Jawahal, mentre le ruote del treno strappavano ai binari scintille di metallo rovente, come coltelli sul ghiaccio.

A un tratto Ben sentì un'esplosione sotto i piedi e subito vide spesse lingue di fuoco che avvolgevano lo scheletro del treno, mandando in pezzi il legno carbonizzato che ancora aderiva alla struttura. Le fiamme fecero esplodere anche i denti di vetro che circondavano i finestrini sfondati, come canini che spuntavano dalle fauci di una bestia meccanica. Ben dovette gettarsi a terra per evitare la tormenta di schegge che si schiantarono contro le pareti del tunnel come schizzi di sangue dopo un colpo di pistola a bruciapelo.

Quando riuscì a rialzarsi, scorse in lontananza la sagoma di Jawahal che avanzava tra le fiamme e capì di essere ormai vicino alla locomotiva. Jawahal si voltò e Ben riconobbe il suo sorriso criminale perfino in mezzo alle esplosioni dei gas che formavano anelli di fuoco azzurro e attraversavano il treno come un tornado di polvere da sparo impazzita.

«Vieni a prendermi» sentì nella sua testa.

Il volto di Sheere si illuminò nella sua memoria e Ben intraprese lentamente il tragitto verso l'ultimo vagone che gli restava da percorrere. Quando attraversò la piattaforma esterna, sentì una ventata d'aria fresca. Il treno doveva essere sul punto di lasciarsi alle spalle i tunnel per dirigersi a tutta velocità verso la stazione centrale di Jheeter's Gate.

Ian non smise di parlare a Sheere durante tutto il tragitto di ritorno. Sapeva che se la ragazza si fosse abbandonata al sonno letale che l'assediava sarebbe vissuta soltanto il tempo necessario per rivedere la luce del giorno oltre quelle gallerie. Michael e Roshan lo aiutavano a sorreggerla, ma nessuno dei due riusciva a strapparle una sillaba. Ian, seppellendo nel più profondo del cuore i sentimenti che lo rodevano, raccontava aneddoti assurdi e ogni tipo di storie, pronto, se necessario, a dissotterrare anche l'ultima parola rimastagli in mente pur di tenerla sveglia. Sheere lo ascoltava e annuiva vagamente, socchiudendo gli occhi perduti e sonnolenti. Ian le teneva la mano tra le sue, sentendo il polso che si spegneva in modo lento ma inesorabile.

«Dov'è Ben?» domandò la ragazza.

Michael guardò Ian e lui si disegnò sul viso un sorriso aperto.

«Ben è in salvo, Sheere» rispose con serenità. «È andato a cercare un medico, il che, date le circostanze, mi sembra una mancanza di riguardo. Si suppone che il medico sia io. O almeno, un giorno dovrei diventarlo. Bell'amico che mi ritrovo... Mi dà proprio un bell'incoraggiamento... Alla prima occasione, sparisce e va a chiamare un dottore. Meno male che di medici come me ce ne sono pochi. Dottori sì nasce, questa è la verità. E io sono sicuro che guarirai, me lo dice il mio istinto. Ma a una condizione: non devi dormire. Non ti sarai mica addormentata, vero? Adesso non puoi dormire! Tua nonna ci sta aspettando a duecento metri da qui e io non sono in grado di spiegarle cosa è successo. Se solo ci provassi, mi getterebbe nel fiume e invece tra qualche ora devo prendere la nave. Perciò sforzati di restare sveglia e aiutami con tua nonna. D'accordo? Di' qualcosa.»

Sheere cominciò ad ansimare pesantemente. Il colore svanì dal viso di Ian, che cercò di scuoterla. Gli occhi della ragazza si aprirono di nuovo.

«Dov'è Jawahal?» chiese.

«È morto» mentì Ian.

«Come?» riuscì ad articolare Sheere.

Ian esitò un attimo.

«È caduto sotto le ruote del treno. Non è stato possibile fare niente.»

Sheere parve sorridere.

«Non sai mentire, Ian» sussurrò, lottando per pronunciare ogni parola.

Il ragazzo sentì che non avrebbe potuto continuare ancora per molto a recitare quella parte.

«Il bugiardo del gruppo è Ben» disse. «Io dico sempre la verità. Jawahal è morto.»

Sheere chiuse gli occhi e Ian fece segno a Michael e Roshan di affrettarsi. Mezzo minuto dopo, la luce alla fine del tunnel illuminò i loro volti e la sagoma dell'orologio della stazione si stagliò in lontananza. Quando arrivarono, trovarono Siraj, Isobel e Seth

285

ad aspettarli. Le prime luci dell'alba si affacciavano come una linea scarlatta sull'orizzonte, oltre le grandi arcate di metallo di Jheeter's Gate.

Ben si fermò davanti all'entrata dell'ultimo vagone e appoggiò le mani sulla maniglia girevole che ne assicurava la chiusura. L'anello era infuocato. Lo fece ruotare piano, sentendo il metallo che gli mordeva crudelmente la pelle. Una nube di vapore si sprigionò dall'interno. Aprì la porta con un calcio. La sagoma di Jawahal, immobile nella densa massa di vapore delle caldaie, lo fissava in silenzio. Ben osservò il diabolico macchinario che rintronava accanto a lui e riconobbe inciso sul metallo il simbolo di un uccello che si innalzava tra le fiamme. La mano di Jawahal era appoggiata sulla lamiera palpitante della caldaia e sembrava assorbire la forza che ardeva all'interno. Ben esaminò il complesso reticolato di tubi, valvole e serbatoi di gas che vibrava intorno a loro.

«In un'altra vita sono stato un inventore, figlio mio» disse Jawahal. «Le mie mani e la mia mente potevano creare cose. Adesso invece sono capaci solo di distruggere. Questa è la mia anima, Ben. Avvicinati e guarda come batte il cuore di tuo padre. L'ho creata io stesso. E sai perché l'ho chiamata Uccello di Fuoco?»

Ben lo guardò senza rispondere.

«Migliaia di anni fa, è esistita una città maledetta, quasi come Calcutta» spiegò Jawahal. «Il suo nome era Cartagine. Quando venne conquistata dai romani, era tanto l'odio risvegliato in loro dallo spirito dei fenici, che non si accontentarono di raderla al suolo, né di uccidere le donne, gli uomini e i bambini. Dovettero distruggere ogni pietra fino a ridurla in polvere. E neanche questo fu sufficiente a placare il loro odio. Perciò Catone, il generale al comando delle truppe, ordinò ai suoi soldati di spargere del sale a ogni angolo della città, perché su quel suolo maledetto non crescesse mai più un solo germoglio di vita.»

«Perché mi racconta tutto questo?» chiese Ben, mentre sentiva il sudore correrli lungo le membra e asciugarsi quasi all'istante grazie all'asfissiante calore sputato dalle caldaie.

«Quella città fu la dimora di Didone, una principessa che offrì il suo corpo alle fiamme per placare l'ira degli dèi ed espiare i suoi peccati. Ma un giorno tornò, trasformata in divinità. È il potere del fuoco. Come la fenice, un poderoso uccello di fuoco sotto le cui ali crescevano le fiamme.»

Jawahal accarezzò la sua letale creazione e sorrise.

«Anch'io sono rinato dalle mie ceneri e, come Catone, sono tornato per spargere il fuoco sul destino della mia stirpe e cancellarla per sempre.»

«Lei è pazzo» tagliò corto Ben, «se crede di poter entrare in me per mantenersi vivo.»

«Chi sono i pazzi?» chiese Jawahal. «Quelli che vedono l'orrore nel cuore dei loro simili e cercano la pace a qualsiasi prezzo? O piuttosto quelli che fingono di non vedere quanto succede intorno a loro? Il mondo, Ben, è dei pazzi o degli ipocriti. Non esistono altre razze sulla faccia della Terra oltre queste due. E tu devi sceglierne una.»

Ben osservò a lungo quell'uomo e, per la prima

volta, credette di vedere in lui l'ombra di quello che un tempo era stato suo padre.

«E tu, padre, quale hai scelto nel momento in cui hai deciso di tornare per seminare la morte tra i pochi che ti amavano? Hai dimenticato le tue stesse parole? Hai dimenticato il tuo racconto sulle lacrime di quell'uomo che divennero ghiaccio quando, tornato a casa, si accorse che si erano tutti venduti a uno stregone itinerante? Magari potrai anche mettere fine alla mia vita, come hai fatto con tutti coloro che hanno incrociato la tua strada. Non credo che questo faccia ormai una grande differenza. Ma prima di uccidermi, dimmi in faccia che non hai venduto anche tu l'anima a quello stregone. Dimmelo, con la mano su questo cuore di fuoco dietro il quale ti nascondi, e io ti seguirò fino all'inferno.»

Jawahal lasciò che le palpebre gli cadessero pesantemente e annuì piano. Una lenta trasformazione parve impossessarsi del suo viso, e il suo sguardo si offuscò tra le brume ardenti, avvilito e sconfitto. Lo sguardo di un grande predatore ferito che si ritira a morire nell'ombra. Quella visione, quell'improvvisa immagine di vulnerabilità che Ben intravide solo per qualche secondo, gli parve più agghiacciante e terribile di qualunque altra spettrale apparizione di quel fantasma tormentato. Perché in quel volto consumato dal dolore e dal fuoco Ben non riusciva più a vedere uno spirito assassino, ma solo il triste riflesso di suo padre.

Per un istante si guardarono come vecchi conoscenti perduti nella nebbia del tempo.

«Non so più se quella storia l'ho scritta io o un altro, Ben» disse alla fine Jawahal. «Non so più se quei ricordi sono miei o se invece li ho sognati. E non so neanche se i miei delitti li ho commessi io o sono stati opera di altre mani. Qualunque sia la risposta a queste domande, so che non potrò mai più scrivere una storia come quella che tu ricordi, né arrivare a comprenderne il significato. Io non ho futuro, Ben. Né futuro né vita. Ciò che vedi non è altro che l'ombra di un'anima morta. Non sono niente. L'uomo che fui, tuo padre, è morto molto tempo fa portando con sé tutto quanto io potrei sognare. E se non mi darai la tua anima consentendomi di vivere in lei per l'eternità, allora dammi la pace. Perché adesso solo tu puoi restituirmi la libertà. Sei venuto a uccidere qualcuno che è già morto, Ben. Tieni fede alla tua parola, oppure unisciti a me nelle tenebre.»

In quel momento il treno riemerse dal tunnel e percorse il binario centrale di Jheeter's Gate a tutta velocità proiettando il suo manto di fiamme che si innalzavano fino al cielo. La locomotiva oltrepassò la soglia delle grandi arcate della struttura metallica e sfrecciò sulle rotaie lungo un percorso scolpito nella luce dell'alba verso l'orizzonte.

Jawahal aprì gli occhi e Ben vi lesse l'orrore e la profonda solitudine che imprigionavano quell'anima maledetta.

Mentre il treno percorreva gli ultimi metri che lo separavano dal ponte sparito, Ben si frugò in tasca e tirò fuori la scatola con l'ultimo fiammifero che aveva conservato. Jawahal affondò la mano nella caldaia a gas e una nube di ossigeno puro lo avvolse in una cascata di vapore. Il suo spettro si fuse lentamente nella macchina che ospitava la sua anima e il gas ne avvolse la figura in un miraggio di cenere. Gli occhi di Jawahal gli rivolsero un ultimo sguardo e Ben credette di scorgervi il luccichio di una lacrima solitaria che scivolava sul viso.

«Liberami, Ben» mormorò la voce nella sua mente. «Ora o mai più.»

Il ragazzo prese il fiammifero e lo accese.

«Addio, padre» sussurrò.

Lahawaj Chandra Chatterghee chinò la testa e Ben lanciò il fiammifero acceso ai suoi piedi.

«Addio, Ben.»

In quel momento, per un istante fugace, il ragazzo avvertì accanto a sé la presenza di un viso avvolto in un velo di luce. Mentre le fiamme divampavano come un fiume di polvere da sparo fino a raggiungere suo padre, quei due profondi occhi tristi lo guardarono per l'ultima volta. Ben pensò che la sua mente gli stesse giocando un brutto scherzo quando vi riconobbe lo stesso sguardo ferito di Sheere. Poi, la sagoma della principessa della luce si immerse per sempre tra le fiamme con la mano sollevata e un debole sorriso sulle labbra, senza che Ben arrivasse a sospettare chi fosse colei che aveva visto svanire nel fuoco.

L'esplosione lo scaraventò all'estremità opposta del vagone come una corrente di acque invisibili e lo scagliò fuori dal treno in fiamme. Cadendo, ruzzolò tra la vegetazione cresciuta al riparo dei binari del ponte. Il convoglio si allontanò e Ben lo rincorse lungo il cammino letale al quale conducevano i binari diretti nel vuoto. Qualche secondo dopo, il vagone dove si trovava suo padre esplose di nuovo con una tale forza che le travi di metallo che formavano la struttura del ponte vennero scagliate verso il cielo. Una colonna di fiamme salì fino alle nuvole del temporale, disegnando un raggio di fuoco e infrangendo il cielo in uno specchio di luce.

Il treno saltò nel vuoto e il serpente d'acciaio e fiamme precipitò nelle acque nere dell'Hooghly. Un boato assordante scosse il cielo sopra Calcutta e fece tremare il suolo sotto i suoi piedi.

L'ultimo respiro dell'Uccello di Fuoco si spense portando per sempre con sé l'anima di Lahawaj Chandra Chatterghee, il suo creatore.

Ben si fermò e cadde in ginocchio tra i binari, mentre i suoi amici gli correvano incontro dall'ingresso di Jheeter's Gate. Sopra di loro, centinaia di piccole lacrime bianche sembravano piovere dal cielo. Ben alzò lo sguardo e le sentì sul viso. Stava nevicando.

I membri della Chowbar Society si riunirono per l'ultima volta in quell'alba del maggio 1932 vicino al ponte scomparso sulle rive del fiume Hooghly, di fronte alle rovine della stazione di Jheeter's Gate. Una cortina di neve svegliò la città di Calcutta, dove nessuno aveva mai visto quel manto bianco che cominciò a ricoprire le cupole dei vecchi palazzi, i vicoli e l'immensità del Maidan.

Mentre gli abitanti uscivano in strada a contemplare quel prodigio che non si sarebbe mai più verificato, i membri della Chowbar Society si ritiravano verso il ponte lasciando Sheere da sola tra le braccia di Ben. Erano tutti sopravvissuti agli eventi di quella notte. Avevano visto il treno in fiamme precipitare nel vuoto e l'esplosione di fuoco salire al cielo e lacerare la tormenta come una lama infernale. Sapevano che probabilmente non avrebbero mai più parlato degli avvenimenti di quella notte e che, se un giorno lo avessero fatto, nessuno avrebbe creduto loro. Eppure quella mattina tutti capirono di essere stati semplici invitati, passeggeri occasionali di quel treno venuto dal passato. Poco dopo assistettero in silenzio all'abbraccio di Ben a sua sorella sotto la nevicata. A poco a poco, il giorno faceva svanire le tenebre di quella notte interminabile.

Sheere sentì il contatto freddo della neve sulle guance e aprì gli occhi. Suo fratello le sorrideva accarezzandole dolcemente il viso.

«Che cos'è, Ben?»

«Neve» rispose il ragazzo. «Sta nevicando su Calcutta.»

Il volto della ragazza si illuminò per un istante.

«Ti ho mai parlato del mio sogno?» chiese.

«Vedere nevicare su Londra» disse Ben. «Me lo ricordo. L'anno prossimo ci andremo insieme. Andremo a trovare Ian che sarà lì a studiare medicina. Nevicherà tutti i giorni. Te lo prometto.»

«Ricordi il racconto di nostro padre, Ben? Quello che vi ho raccontato la prima sera in cui eravamo insieme nel Palazzo della Mezzanotte?»

Ben annuì.

«Queste sono le lacrime di Shiva» disse Sheere a fatica. «Si scioglieranno quando uscirà il sole e non cadranno mai più su Calcutta.»

Ben sollevò dolcemente la sorella e le sorrise. I profondi occhi perlacei di Sheere lo osservavano con attenzione.

«Sto per morire, vero?»

«No» rispose lui. «Morirai soltanto tra moltissimi anni. La tua linea della vita è molto lunga, vedi?»

«Ben» gemette Sheere. «Era l'unica cosa che potevo fare. L'ho fatto per noi.»

Il fratello l'abbracciò forte.

«Lo so» mormorò.

La ragazza tentò di sollevarsi e gli avvicinò le labbra all'orecchio.

«Non lasciarmi morire da sola» sussurrò.

Ben nascose il viso dallo sguardo della sorella e la strinse a sé.

«Mai.»

Rimasero vicini, abbracciati sotto la neve e in silenzio, fino a quando il polso di Sheere si spense lentamente come una candela al vento. A poco a poco le nubi si allontanarono verso ovest, mentre la luce dell'alba portava via per sempre quel lenzuolo di lacrime bianche che aveva ricoperto la città.

I luoghi che albergano la miseria e la tristezza sono la dimora preferita delle storie di fantasmi e di apparizioni. Calcutta custodisce nel suo lato oscuro centinaia di queste storie, alle quali nessuno ammette di credere, ma che sopravvivono nella memoria delle generazioni come l'unica cronaca del passato. Si direbbe quasi che, illuminata da una strana saggezza, la gente che affolla le sue strade comprenda che in fondo la vera storia di questa città è sempre stata scritta nelle pagine invisibili dei suoi spiriti e delle sue maledizioni tacite e occulte.

Forse fu questa stessa saggezza che, nei suoi ultimi minuti, illuminò il cammino di Lahawaj Chandra Chatterghee e gli fece capire di essersi imperdonabilmente smarrito nel labirinto della sua stessa maledizione. Forse avrà compreso, nella profonda solitudine di un'anima condannata a rivivere in continuazione le ferite del passato, il vero valore delle vite che aveva distrutto e di quelle che ancora poteva salvare. È difficile sapere cosa vide nel volto di suo figlio Ben pochi secondi prima di permettergli di spegnere per sempre le fiamme del rancore che bru-

ciavano nelle caldaie dell'Uccello di Fuoco. Forse, nella sua follia, Chandra fu capace, per un attimo, di ritrovare il senno che i suoi carnefici gli avevano strappato fin dai giorni di Grant House.

Tutte le risposte a queste domande, così come i suoi segreti, le sue scoperte, i suoi sogni e i suoi desideri, sparirono per sempre nella terribile esplosione che squarciò il cielo sopra Calcutta all'alba di quel 30 maggio del 1932, come quei fiocchi di neve che si sciolsero subito dopo aver baciato la terra.

Qualunque sia la verità, mi basta ricordare che, poco tempo dopo che quel treno in fiamme sprofondò nelle acque dell'Hooghly, la pozza di sangue fresco che aveva ospitato lo spirito tormentato della donna che aveva dato alla luce i due gemelli evaporò per sempre. Seppi allora che l'anima di Lahawaj Chandra Chatterghee e quella di colei che era stata la sua compagna avrebbero riposato eternamente in pace. Non avrei mai più rivisto in sogno lo sguardo triste della principessa della luce china sul mio amico Ben.

In tutti questi anni, dopo essere salito a bordo della nave che mi avrebbe portato verso il mio destino in Inghilterra, all'imbrunire di quello stesso giorno, non ho più rivisto i miei compagni. Ricordo le facce di quei ragazzi spaventati che mi salutavano dal molo sulla riva del fiume Hooghly, mentre la nave levava l'ancora. Ricordo le promesse di restare uniti e di non dimenticare mai ciò a cui avevamo assistito. Non posso negare, però, che in quello stesso momento mi resi conto che quelle parole si sarebbero perse per sempre sulla scia della nave che stava partendo nell'infuocato crepuscolo del Bengala.

Erano tutti lì, a eccezione di Ben. Ma nessuno era presente quanto lui nei nostri cuori.

Tornando adesso con la memoria a quei giorni, sento che tutti loro vivono ancora in qualche luogo sigillato della mia anima, che chiuse per sempre le sue porte in quel tramonto di Calcutta. Un luogo dove tutti abbiamo ancora sedici anni e dove lo spirito della Chowbar Society e il Palazzo della Mezzanotte resteranno vivi finché lo sarò anch'io.

Quanto a ciò che il destino avrebbe riservato a ognuno di noi, il tempo ha cancellato le tracce di molti dei miei amici. Ho saputo che Seth, negli anni, era succeduto al panciuto Mr De Rozio come responsabile della Biblioteca e degli Archivi del Museo indiano, diventando il più giovane ad aver rivestito quel ruolo nella storia dell'istituzione.

Ho avuto notizie anche di Isobel, che qualche tempo dopo sposò Michael. La loro unione durò cinque anni e dopo la separazione lei prese a girare il mondo con una modesta compagnia teatrale. Gli anni non le impedirono di mantenere vivi i suoi sogni. In seguito, però, non so che fine abbia fatto. Michael, che vive sempre a Firenze, dove insegna disegno in una scuola, non l'ha più rivista. Ancora oggi mi aspetto di trovare un giorno il suo nome nei titoli di qualche giornale.

Siraj è morto nel 1946 dopo aver passato gli ultimi cinque anni di vita in una prigione di Bombay, accusato di un furto che fino alla fine giurò di non aver commesso. Come aveva predetto Jawahal, la scarsa fortuna che aveva avuto lo abbandonò per sempre.

Roshan è oggi un prospero e potente commerciante, padrone di buona parte delle antiche viuzze della città nera, dove era cresciuto quando era un mendicante senza tetto. È l'unico che, ogni anno, compie il rito di mandarmi gli auguri per il mio compleanno. Ho saputo dalle sue lettere che si è sposato e che il numero di nipoti che scorrazzano per le sue proprietà è paragonabile solo a quello delle cifre che compongono la sua fortuna.

Per quel che mi riguarda, la vita è stata generosa con me, consentendomi di percorrere in pace e senza privazioni questo strano viaggio che non porta da nessuna parte. Poco dopo aver terminato gli studi, mi venne offerto un lavoro nella clinica del dottor Walter Hartley a Whitechapel, ed è stato lì che ho davvero imparato il mestiere che avevo sempre sognato e del quale vivo ancora oggi. Venti anni fa, dopo la morte di mia moglie Iris, mi sono trasferito a Bournemouth, dove la mia abitazione e lo studio si dividono una casa piccola ma confortevole dalla quale si vede la maremma di Poole Bay. Da quando ho perso Iris, mi fanno compagnia solo il suo ricordo e il segreto che un tempo ho condiviso con gli amici della Chowbar Society.

Ancora una volta, ho lasciato per ultimo Ben. Perfino oggi, anche se non lo vedo da oltre cinquant'anni, mi è difficile parlare di colui che è stato e sempre sarà il mio migliore amico. Ho saputo da Roshan che andò a vivere in quella che era stata la casa di suo padre, l'ingegnere Chandra Chatterghee, in compagnia dell'anziana Aryami Bose, che malgrado la sua forza d'animo non riuscì mai a superare il colpo della morte di Sheere, e fu trascinata irrimediabilmente in una lunga malinconia che le avrebbe chiuso gli occhi per sempre nell'ottobre del 1941. Da quel giorno, Ben ha vissuto e lavorato da solo nella casa costruita dal padre. Lì ha scritto i suoi libri finché è sparito senza lasciare tracce.

Una mattina di dicembre, quando erano passati molti anni dal giorno in cui tutti, compreso Roshan, lo avevano dato per morto, ho ricevuto un pacchetto mentre stavo contemplando la maremma dal piccolo molo davanti a casa mia. Recava il timbro dell'ufficio postale di Calcutta e il mio nome era tracciato con una calligrafia che non potrei dimenticare neanche se vivessi cent'anni. Dentro, avvolta da vari strati di carta, ho trovato la metà della medaglia a forma di sole divisa da Aryami Bose quando aveva separato Ben e Sheere in quella tragica notte del 1916.

Questa mattina, mentre all'alba scrivevo le ultime righe di queste memorie, la prima neve dell'anno ha steso il suo manto bianco davanti alla mia finestra e dopo tutto questo tempo il ricordo di Ben mi è tornato in mente come l'eco di un sussurro. L'ho immaginato attraversare le turbolente strade di Calcutta in mezzo alla folla, tra mille storie sconosciute come la sua e, per la prima volta, ho capito che il mio amico, come me, ormai è un uomo anziano e che le lancette del suo orologio stanno per completare il loro giro. È così strano sentire che la vita ci sta sfuggendo dalle mani...

Non so se avrò ancora notizie del mio amico Ben. Ma so che, in qualche punto della misteriosa città nera, il ragazzo dal quale mi accomiatai per sempre il giorno in cui nevicò su Calcutta è ancora vivo e tiene accesa la fiamma del ricordo di Sheere, sognando il momento in cui si riunirà a lei in un mondo nel quale nulla e nessuno potrà più separarli.

Ti auguro di ritrovarla, amico mio.

Indice

Arnoldo Mondadori Editore S.p.A.

Questo volume è stato stampato
presso Mondadori Printing S.p.A.
Stabilimento Nuova Stampa Mondadori - Cles (TN)

Stampato in Italia - Printed in Italy